TO BUY FABER MUSIC PUBLICATIONS
OR TO FIND OUT ABOUT THE FULL RANGE OF TITLES AVAILABLE,
PLEASE CONTACT YOUR LOCAL MUSIC RETAILER
OR FABER MUSIC SALES ENQUIRIES:

FABER MUSIC LTD BURNT MILL ELIZABETH WAY HARLOW
CM20 2HX ENGLAND
TEL : +44(0)1279 82 89 82 FAX : +44(0 1279 82 89 83
SALES@FABERMUSIC.COM
FABERMUSIC.COM

ALL TOO HUMAN

**Words and Music by Matthew Swinnerton, Alan Donohoe,
Lasse Petersen and James Horn-Smith**

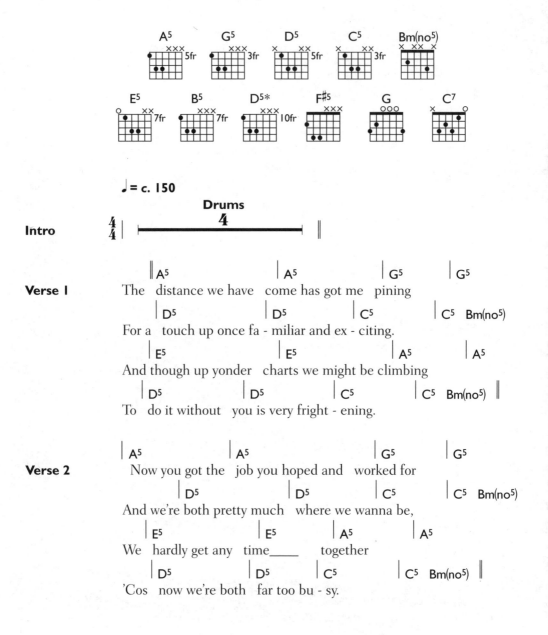

Intro

Verse 1

The distance we have come has got me pining
For a touch up once fa - miliar and ex - citing.
And though up yonder charts we might be climbing
To do it without you is very fright - ening.

Verse 2

Now you got the job you hoped and worked for
And we're both pretty much where we wanna be,
We hardly get any time____ together
'Cos now we're both far too bu - sy.

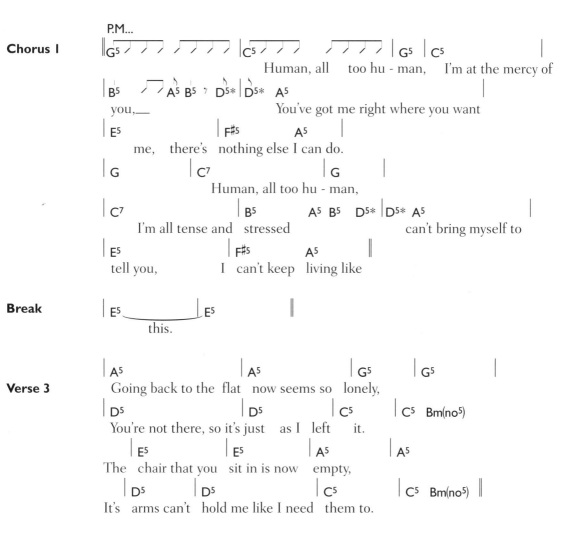

Chorus 1

P.M...

G5 / / / / / / / | C5 / / / / / / / | G5 | C5 |

Human, all too hu - man, I'm at the mercy of

B5 / / A5 B5 ⁊ D5* | D5* A5 |

you,— You've got me right where you want

E5 | F#5 A5 |

me, there's nothing else I can do.

G | C7 | G |

Human, all too hu - man,

C7 | B5 A5 B5 D5* | D5* A5 |

I'm all tense and stressed can't bring myself to

E5 | F#5 A5 ‖

tell you, I can't keep living like

Break

| E5_____ | E5 ‖

this.

Verse 3

| A5 | A5 | G5 | G5 |

Going back to the flat now seems so lonely,

| D5 | D5 | C5 | C5 Bm(no5)

You're not there, so it's just as I left it.

| E5 | E5 | A5 | A5

The chair that you sit in is now empty,

| D5 | D5 | C5 | C5 Bm(no5) ‖

It's arms can't hold me like I need them to.

Chorus 2   *As Chorus 1*

Middle

‖ G / / / / / / / / | C⁷ / / / / / / / / | G | C⁷ |

this.   I

(Human, all too

| G | C⁷ | |
need you, I need you, I seriously do. I'm
human.)   (Human all too

| G | C⁷ | |
not even drunk yet, I only had a few, I
human.)   (Human all too

| G | C⁷ | |
need you, I need you, I seriously do. I'm
human.)   (Human all too

| G | C⁷ | |
not even drunk yet,__ I only had a
human.)

| B5   A5 B5   D5* | D5* A5 | |
few.__   You've got me right where you want

| E5 | F#5   A5 |
me,   there's nothing else I can do.

| G | C⁷ | G |
Human, all too hu - man,

| C⁷ | B5   A5 B5   D5* | D5* A5 | |
I'm all tense and stressed,_____ can't bring myself to

| E5 | F#5   A5 ‖
tell you,__ I can't keep living like__
(Oh,)_

Outro

| G | C⁷ | G | C⁷ |
this.____
_____ (oh,)_____ (oh,)_

| G | C⁷ | G | C⁷ |
(Human, all too
_____ (oh,)_____ (oh,)_

| G | C⁷ | G | C⁷ |
human.)   (Human, all too human.)   (Human, all too
_____ (oh,)_____ (oh,)_

| G | C⁷ | G | C⁷ | G ‖
human.)   (Human, all too human.)
_____ (oh.) _____

BLOOD MERIDIAN

Words and Music by Sam Herlihy, Simon Jones, Paul Wilson, Anthony Theaker and Mike Siddell

Verse 1

Bm | Bsus²
The money's running out, ca - sino's burning down,
A⁶ | Gmaj⁷ | Em/B
The po - lice are getting nervous. The transmission's shot
Bm | A⁶ | Gmaj⁷
And the schools are all locked, the offices have shut up shop.
Bm | Bsus²
There's quiet on the streets today,
A⁶ | Gmaj⁷
I think I know what's going on.
Em/B | Bm
But I'm too scared to say in case I've got it wrong
A⁶ | Gmaj⁷
And made a bad mistake.

Link 1

Bm   A⁶   Gmaj⁷   Bm/F♯   Em   Em/D   (D) (C♯) Bm

Chorus 1

‖D   Dsus⁴ ‖D   ‖A⁶   ‖A⁶
E - mergen - cy, e - mergency, someone acted honestly.

              ‖Bm   ‖Bm   ‖
You'd better string 'em up, tie 'em down, never let the news get out,

‖Gmaj⁷   ‖Gmaj⁷
 Never let it happen again.

     ‖D   ‖D   ‖A⁶   ‖A⁶
E - mergency, e - mergency, someone meant every word they said.

              ‖Bm   ‖Bm   ‖
You should beat 'em up, lock 'em up, throw away the key and

‖Gmaj⁷   ‖Gmaj⁷   ‖
 Never let it happen again.

Break 1

D⁶   A/C♯   A⁷

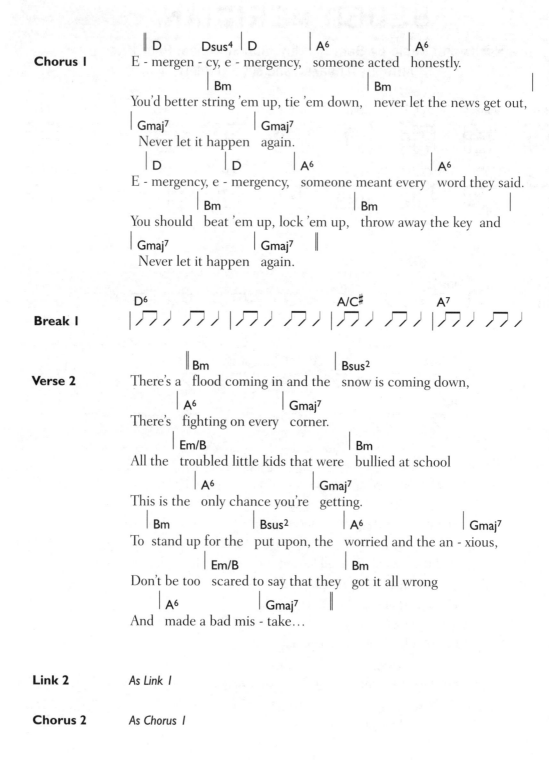

Verse 2

            ‖Bm   ‖Bsus²
There's a flood coming in and the snow is coming down,

              ‖A⁶   ‖Gmaj⁷
There's fighting on every corner.

             ‖Em/B   ‖Bm
All the troubled little kids that were bullied at school

             ‖A⁶   ‖Gmaj⁷
This is the only chance you're getting.

        ‖Bm   ‖Bsus²   ‖A⁶   ‖Gmaj⁷
To stand up for the put upon, the worried and the an - xious,

              ‖Em/B   ‖Bm
Don't be too scared to say that they got it all wrong

          ‖A⁶   ‖Gmaj⁷   ‖
And made a bad mis - take…

Link 2   *As Link 1*

Chorus 2   *As Chorus 1*

Chorus 3

| D Dsus⁴ | D | A⁶ | A⁶ |

Tell me, won't you   tell me how we   ended up so   cynical?

| Bm | Bm | |

We should   give it up, start again,   make mistakes, try to change,

| Gmaj⁷ | Gmaj⁷ |

Never let it happen a - gain.

Break 2

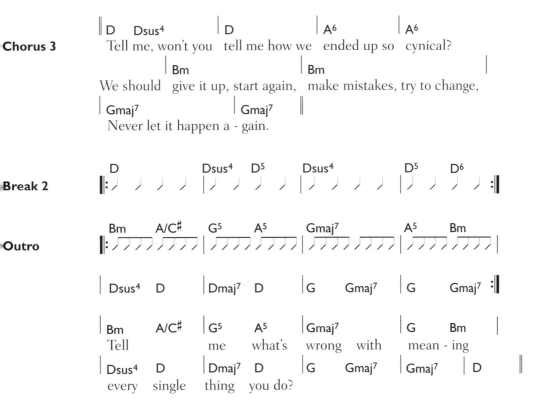

Outro

Dsus⁴ D | Dmaj⁷ D | G   Gmaj⁷ | G   Gmaj⁷ :||

Bm   A/C♯ | G⁵   A⁵ | Gmaj⁷ | G   Bm |

Tell   me   what's   wrong   with   mean - ing

Dsus⁴ D | Dmaj⁷ D | G   Gmaj⁷ | Gmaj⁷ | D ||

every   single   thing   you do?

BANG BANG YOU'RE DEAD

Words and Music by Carl Barât, David Hammond, Anthony Rossomando and Gary Powell

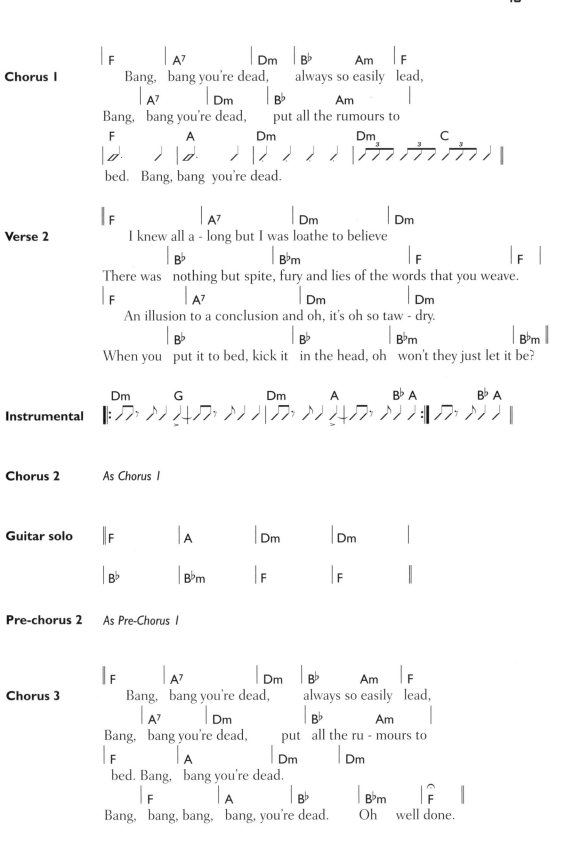

Chorus 1

| F | A⁷ | Dm | B♭ Am | F |

Bang, bang you're dead, always so easily lead,

| A⁷ | Dm | B♭ Am | |

Bang, bang you're dead, put all the rumours to

F   A   Dm   Dm   C

bed. Bang, bang you're dead.

Verse 2

| F | A⁷ | Dm | Dm |

I knew all a - long but I was loathe to believe

| B♭ | B♭m | F | F |

There was nothing but spite, fury and lies of the words that you weave.

| F | A⁷ | Dm | Dm |

An illusion to a conclusion and oh, it's oh so taw - dry.

| B♭ | B♭ | B♭m | B♭m |

When you put it to bed, kick it in the head, oh won't they just let it be?

Instrumental

Dm   G   Dm   A   B♭ A   B♭ A

Chorus 2   *As Chorus 1*

Guitar solo

| F | A | Dm | Dm | |

| B♭ | B♭m | F | F | |

Pre-chorus 2   *As Pre-Chorus 1*

Chorus 3

| F | A⁷ | Dm | B♭ Am | F |

Bang, bang you're dead, always so easily lead,

| A⁷ | Dm | B♭ Am | |

Bang, bang you're dead, put all the ru - mours to

| F | A | Dm | Dm |

bed. Bang, bang you're dead.

| F | A | B♭ | B♭m | F |

Bang, bang, bang, bang, you're dead. Oh well done.

BLACKENED BLUE EYES

**Words and Music by Timothy Burgess, Martin Blunt,
Mark Collins, Jon Brookes and Anthony Rogers**

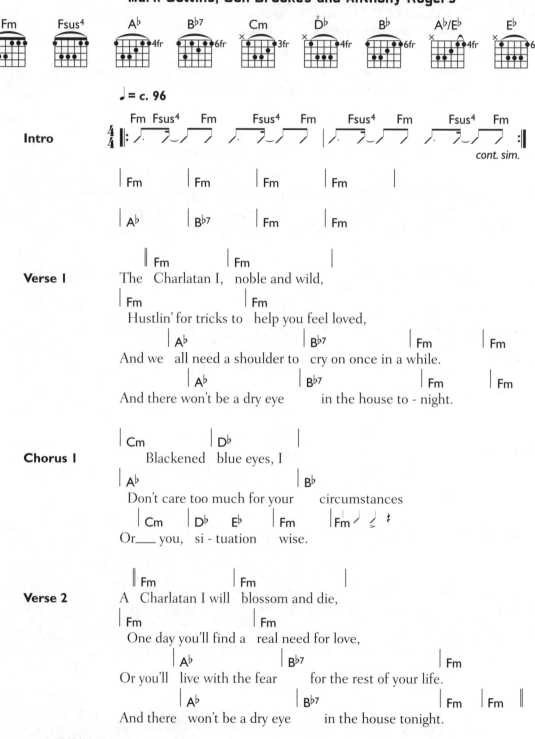

Intro

Fm Fsus⁴ Fm Fsus⁴ Fm Fsus⁴ Fm Fsus⁴ Fm

cont. sim.

| Fm | Fm | Fm | Fm |

| A♭ | B♭7 | Fm | Fm |

Verse 1

‖ Fm | Fm |
The Charlatan I, noble and wild,
| Fm | Fm
  Hustlin' for tricks to help you feel loved,
| A♭ | B♭7 | Fm | Fm
And we all need a shoulder to cry on once in a while.
| A♭ | B♭7 | Fm | Fm ‖
And there won't be a dry eye in the house to - night.

Chorus 1

| Cm | D♭ |
  Blackened blue eyes, I
| A♭ | B♭
  Don't care too much for your circumstances
| Cm | D♭ E♭ | Fm | Fm ‖
Or___ you, si - tuation wise.

Verse 2

‖ Fm | Fm |
A Charlatan I will blossom and die,
| Fm | Fm
  One day you'll find a real need for love,
| A♭ | B♭7 | Fm
Or you'll live with the fear for the rest of your life.
| A♭ | B♭7 | Fm | Fm ‖
And there won't be a dry eye in the house tonight.

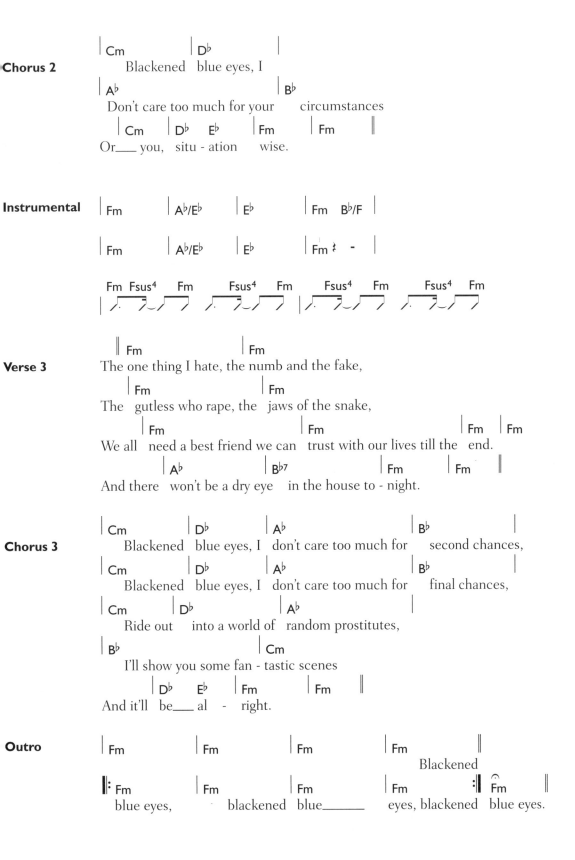

Chorus 2

| Cm | D♭ | |
  Blackened blue eyes, I

| A♭ | B♭ |
  Don't care too much for   circumstances

  | Cm | D♭ E♭ | Fm | Fm   ‖
Or__ you, situ - ation   wise.

Instrumental

| Fm | A♭/E♭ | E♭ | Fm   B♭/F |

| Fm | A♭/E♭ | E♭ | Fm ⸘ - |

  Fm Fsus⁴   Fm   Fsus⁴   Fm   Fsus⁴   Fm   Fsus⁴   Fm

Verse 3

  ‖ Fm | Fm
The one thing I hate, the numb and the fake,

    | Fm | Fm
The gutless who rape, the jaws of the snake,

    | Fm | Fm | Fm | Fm
We all   need a best friend we can trust with our lives till the end.

          | A♭ | B♭7 | Fm | Fm   ‖
And there won't be a dry eye   in the house to - night.

Chorus 3

| Cm | D♭ | A♭ | B♭ |
  Blackened blue eyes, I don't care too much for   second chances,

| Cm | D♭ | A♭ | B♭ |
  Blackened blue eyes, I don't care too much for   final chances,

| Cm | D♭ | A♭ |
  Ride out   into a world of random prostitutes,

| B♭ | Cm
  I'll show you some fan - tastic scenes

        | D♭ E♭ | Fm | Fm   ‖
And it'll be__ al - right.

Outro

| Fm | Fm | Fm | Fm   ‖
                                              Blackened

‖: Fm | Fm | Fm | Fm   :‖ Fm   ‖
  blue eyes,   blackened blue_____   eyes, blackened blue eyes.

BREAK THE NIGHT WITH COLOUR

Words and Music by Richard Ashcroft

Dm   F/C   C   Em/B   Am   G   F   G/B

♩ = c. 80

Intro

| Dm   F/C   C   Em/B   C |

Verse 1

| Dm   F/C | C   Em/B   C |
Fools they think I do not   know, the road I'm tak - ing.

| Dm   F/C | C   Em/B   C |
If you meet me on the   way,   hesitating,

| Dm   F/C | C   Em/B   C |
That is just because I   know,   which way I will

| Dm   F/C | C   Em/B   C |
choose.

Verse 2

| Dm   F/C | C   Em/B   C |
The cor - ridors of discon - tent   that I've been tra - velling

| Dm   F/C | C   Em/B   C |
On the lonely search for   truth,   the world's so frighten - ing.

| Dm   F/C | C   Em/B   C |
Nothing's going right today,   'cos nothing ever

| Dm   F/C | C   Em/B   C |
does.

Chorus 1

| Am   G | F   C   G/B |
Oooh,_____ I don't   wanna know your secrets,

| Am   G | F   C   G/B |
Oooh,_____ they lie   heavy on my head,

| Am   G | F   C   G/B |
Oooh,_____ let's   break the night with colour

| Am   G | F   C   G/B |
Time_____ for   me to move ahead.

Break 1
‖ Dm   F/C ‖ C   Em/B C ‖ Dm   F/C ‖ C   Em/B C ‖

Verse 3
| Dm   F/C | C   Em/B   C |
     Monday morning coming down,   lack understanding

| Dm   F/C | C   Em/B   C |
     Mama thinks you are the clown,   you're looking so frightening

| Dm   F/C | C   Em/B   C |
     Nothing's going right to - day,   'cos nothing ev - er

| Dm   F/C | C   Em/B   C ‖
     does.

Chorus 2
| Am   G | F   C   G/B |
     Oooh,_____ I don't wanna know your secrets,

| Am   G | F   C   G/B |
     Oooh,_____ they lie heavy on my head,

| Am   G | F   C   G/B |
     Time,_____ for me to break my cover,

| Am   G | F   C   G/B ‖
     Time_____ for me to move ahead.

Break 2   *As Break 1*

Middle
‖ Am   G | F   C   G/B |
     You think I'm giving it up,   here I come a - gain,

| Am   G | F   C   G/B ‖
     You think I'm giving it up,   here I come a - gain...

Chorus 3   ‖: *As Chorus 1* :‖
                     repeat ad lib. to fade

BULLETS

**Words and Music by Thomas Smith, Christopher Urbanowicz,
Russell Leetch and Edward Lay**

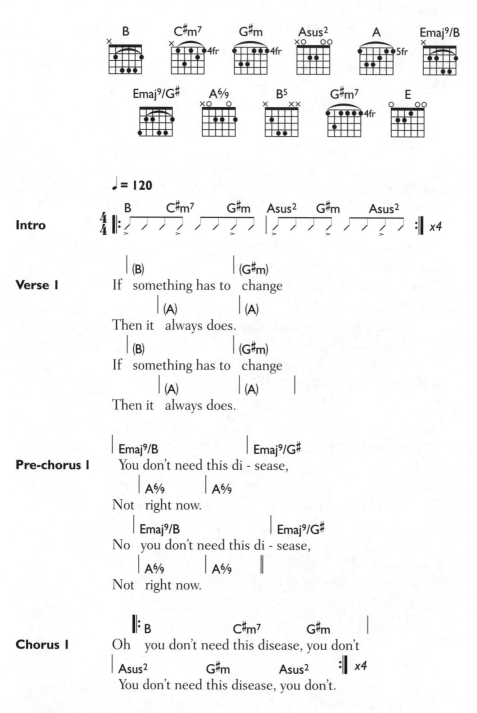

Intro

Verse 1

|(B) |(G#m)
If something has to change
         |(A) |(A)
Then it always does.
         |(B) |(G#m)
If something has to change
              |(A) |(A) |
Then it always does.

Pre-chorus 1

| Emaj⁹/B | Emaj⁹/G#
  You don't need this di - sease,
         | A⁶⁄₉ | A⁶⁄₉
Not   right now.
         | Emaj⁹/B | Emaj⁹/G#
No   you don't need this di - sease,
          | A⁶⁄₉ | A⁶⁄₉ ||
Not   right now.

Chorus 1

     ‖: B   C#m⁷   G#m |
Oh   you don't need this disease, you don't
| Asus²   G#m   Asus²   :‖ x4
   You don't need this disease, you don't.

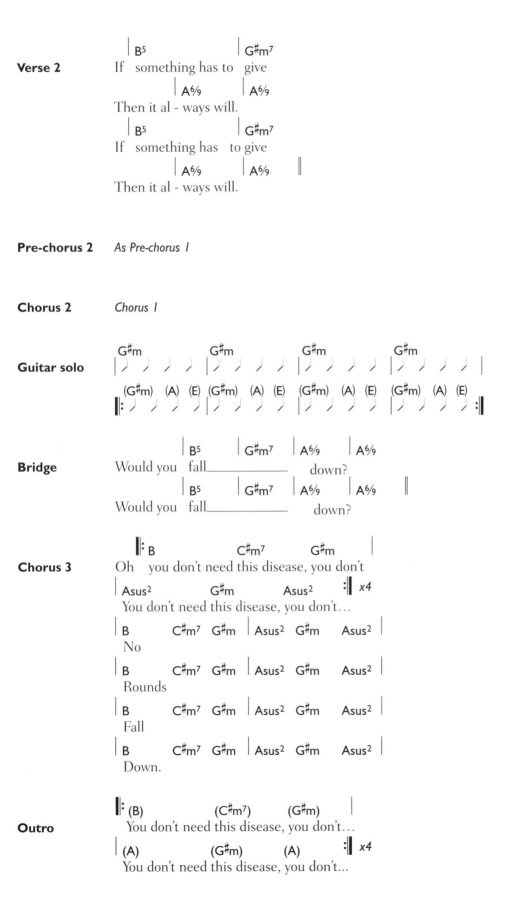

Verse 2

| | B⁵ | | G♯m⁷
If something has to give

| | A⁶⁄₉ | | A⁶⁄₉
Then it al - ways will.

| | B⁵ | | G♯m⁷
If something has to give

| | A⁶⁄₉ | | A⁶⁄₉   ‖
Then it al - ways will.

Pre-chorus 2   *As Pre-chorus 1*

Chorus 2   *Chorus 1*

Guitar solo

Bridge

| | B⁵ | | G♯m⁷ | A⁶⁄₉ | A⁶⁄₉
Would you fall_____ down?

| | B⁵ | | G♯m⁷ | A⁶⁄₉ | A⁶⁄₉   ‖
Would you fall_____ down?

Chorus 3

‖: B   C♯m⁷   G♯m |
Oh   you don't need this disease, you don't

| Asus²   G♯m   Asus²   :‖ x4
You don't need this disease, you don't…

| B   C♯m⁷ G♯m | Asus² G♯m   Asus² |
No

| B   C♯m⁷ G♯m | Asus² G♯m   Asus² |
Rounds

| B   C♯m⁷ G♯m | Asus² G♯m   Asus² |
Fall

| B   C♯m⁷ G♯m | Asus² G♯m   Asus² |
Down.

Outro

‖: (B)   (C♯m⁷)   (G♯m) |
You don't need this disease, you don't…

| (A)   (G♯m)   (A)   :‖ x4
You don't need this disease, you don't…

CHOSEN ONE

Words and Music by Lisa Milberg, Per Nystrom, Ludvig Rylander, Daniel Varjo, Victoria Bergsman, Maria Eriksson, Martin Hansson and Ulrik Karlsson

G   Em   D   C   Gsus⁴

♩ = c. 123

Intro

N.C.　G　Em　G　Em

Guitar riff

G　Em　D　C

Verse 1

|G |Em |

I don't know about falling in love,

|G |Em |

'Cos it comes to an end, I've been told,

|G |Em

When it comes to falling in love,

|D |C |

It runs___ me ov - er.

Verse 2

|G |Em |G |Em |

Now I'm out here with my heart in my hand to hand___ it over.

|G |Em |D |D |

Now I'm out here with my heart___ in my hand.

Chorus 1

|G |C |G |C |

Have you seen my chosen one re - - cently?

|G |Em |D |C |

If you do, tell him I'm in for love._____

Guitar break

| G | Em | G | Em |

| G | Em | D | C |

Verse 3

‖ G | Em
    No, I don't know about falling in love,

| G | Em |
'Cos it comes to an end, I've been told,

| G | Em
    When it comes to falling in love,

| D | D ‖
It runs___ me over.

Chorus 2   ‖: *As Chorus 1* :‖

Middle

| G | Gsus⁴ | G | Gsus⁴ |

‖ G | C |
    Have you seen my chosen one?

| G | C |
    Have you seen my chosen one?

| G | C |
    Have you seen my chosen one?

| G | C ‖
    Have you seen my chosen one?

Chorus 3   ‖: *As Chorus 1* :‖

Outro

‖ D | C
For love,___

| D | C | G ‖
For love.___

COUNTRY GIRL

Words and Music by Martin Duffy, Robert Gillespie, Andrew Innes and Gary Mounfield

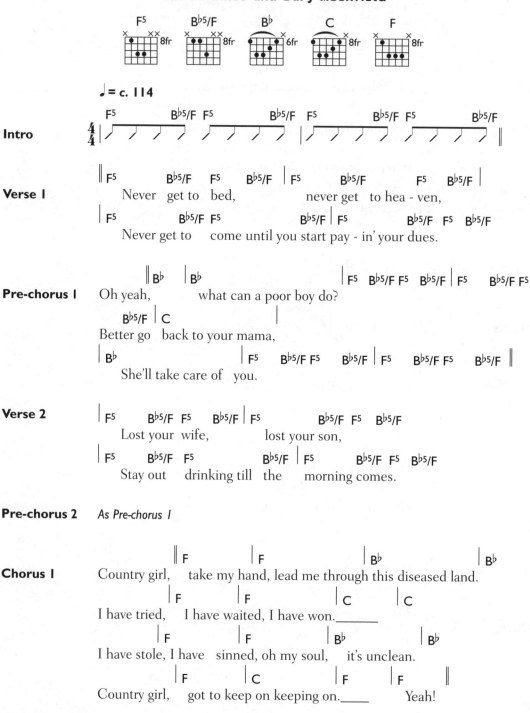

Verse 3

| F5   Bb5/F F5   Bb5/F | F5   Bb5/F F5   Bb5/F

Cra - zy   women   mess your head,

| F5   Bb5/F F5   Bb5/F | F5 Bb5/F   F5   Bb5/F

Wake up drunk and beaten   in some strange bed.

Pre-chorus 3   *As Pre-chorus 1*

Chorus 2   *As Chorus 1*

Middle

‖ Bb | F

Gotta keep on keeping on,

| Bb | F

Gotta keep on keeping strong.

      C   C   N.C.

| / / / / / / / / | / ⸗ — ‖

with you._____   Got the riot city blues.

Instrumental

| F | F | F | F | Bb | Bb |

| F | F | C | Bb | F | F

Verse 4

‖ F5   Bb5/F F5 Bb5/F | F5   Bb5/F F5   Bb5/F

What do you have to say   before I have to go?

| F5   Bb5/F F5   Bb5/F | F5   Bb5/F F5 Bb5/F

Be careful what you see,   you'll reap just what you sow.

Pre-chorus 4   *As Pre-chorus 1*

Chorus 3   *As Chorus 1*

Outro

‖ F | C | Bb | F / / / — ‖

Country girl, got to keep on keeping on._____

CROOKED TEETH

Words and Music by Benjamin Gibbard and Christopher Walla

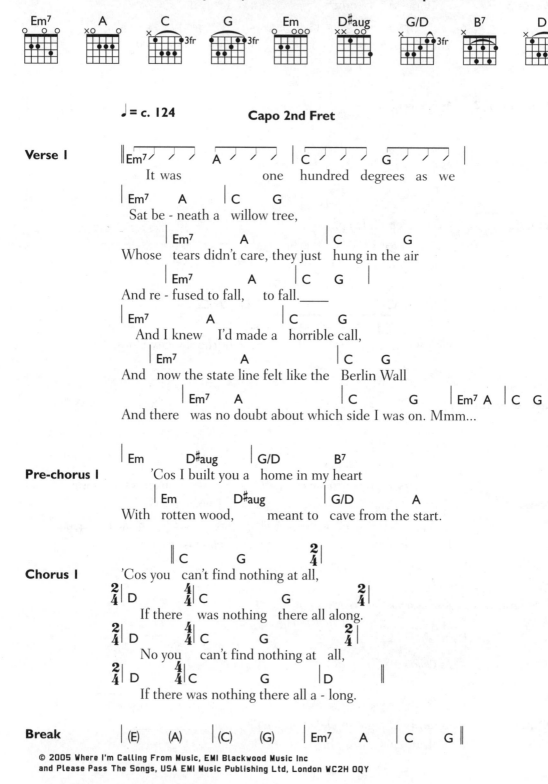

♩ = c. 124   Capo 2nd Fret

Verse 1

‖Em⁷ / / / | A / / / | C / / / | G / / / |
It was   one hundred degrees as we

| Em⁷   A | C   G |
Sat be - neath a willow tree,

| Em⁷   A | C   G |
Whose tears didn't care, they just hung in the air

| Em⁷   A | C   G |
And re - fused to fall,   to fall.____

| Em⁷   A | C   G |
And I knew I'd made a horrible call,

| Em⁷   A | C   G |
And now the state line felt like the Berlin Wall

| Em⁷   A | C   G | Em⁷ A | C   G ‖
And there was no doubt about which side I was on. Mmm...

Pre-chorus 1

| Em   D♯aug | G/D   B⁷ |
'Cos I built you a home in my heart

| Em   D♯aug | G/D   A |
With rotten wood,   meant to cave from the start.

Chorus 1

‖C   G   ²⁄₄|
'Cos you can't find nothing at all,

²⁄₄| D   ⁴⁄₄| C   G   ²⁄₄|
If there was nothing there all along.

²⁄₄| D   ⁴⁄₄| C   G   ²⁄₄|
No you can't find nothing at all,

²⁄₄| D   ⁴⁄₄| C   G | D   ‖
If there was nothing there all a - long.

Break

| (E)   (A) | (C)   (G) | Em⁷   A | C   G ‖

Verse 2

| Em⁷ A | C   G

I braved treacherous streets

| Em⁷   A | C   G

And kids strung out on home-made speed.

| Em⁷   A | C   G

And we shared a bed in which I could not sleep

| Em⁷   A | C G |

At all. Woo-hoo,   woo - hoo.

| Em⁷   A | C   G

'Cos at night the sun in re - treat

| Em⁷ A | C   G

Made the skyline look like crooked teeth

| Em⁷   A | C   G | Em⁷ A | C G ‖

In the mouth of a man who was de - vouring us both.

Pre-chorus 2

| Em   D♯aug | G/D   B⁷

You're so cute when you're slurring your speech,

| Em   D♯aug | A   ‖

But they're closing the bar and they want us to leave.

Chorus 2   *As Chorus 1*

Middle

‖ A | B⁷ | Em | A |

I'm a war   of head versus heart, it's always this way.   My

| A | B⁷ | Em | A ⁄ ⁄ ⁄ ⁄ ⁄ ⁄ ⁄ ‖

head is weak, my heart always speaks be - fore I know what it will   say.

Guitar solo   ‖ C G | D C | G D | C G | D C | G D | ²⁄₄ D |

Chorus 3   *As Chorus 1*

Outro

‖ C   G   ²⁄₄ |

And you can't find nothing at all,

²⁄₄ | D   ⁴⁄₄ | C   G   ²⁄₄ |

If there   was nothing there all along.

²⁄₄ | D   ⁴⁄₄ | C   G   ²⁄₄ |

There were   churches, theme parks and malls,

²⁄₄ | D   ⁴⁄₄ | C   G   D D ‖

If there   was nothing there all a - long.

CREEPIN' UP THE BACKSTAIRS

Words and Music by The Fratellis

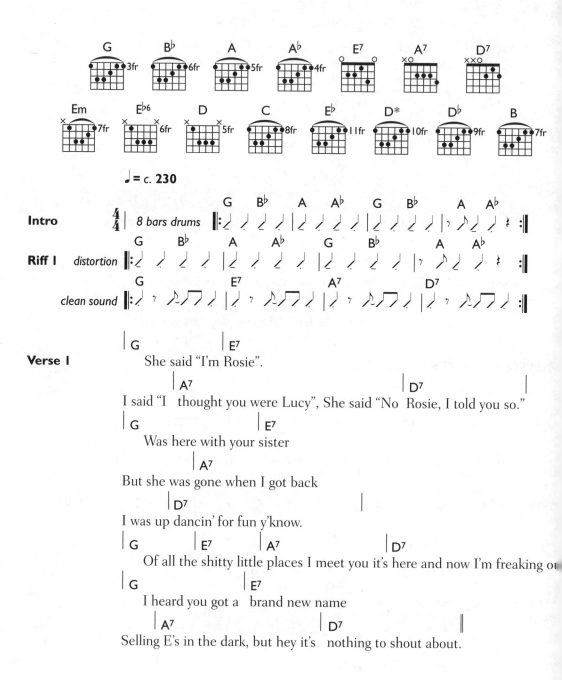

Verse 1

|G |E7
She said "I'm Rosie".

        |A7 |D7 |
I said "I   thought you were Lucy", She said "No Rosie, I told you so."

|G |E7
Was here with your sister

         |A7
But she was gone when I got back

         |D7 |
I was up dancin' for fun y'know.

|G |E7 |A7 |D7
Of all the shitty little places I meet you it's here and now I'm freaking ou

|G |E7
I heard you got a   brand new name

        |A7 |D7   ‖
Selling E's in the dark, but hey it's   nothing to shout about.

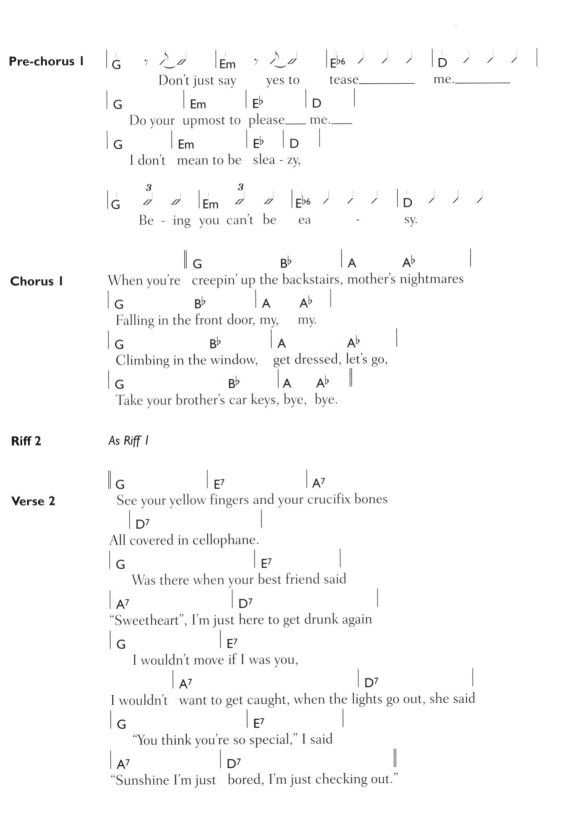

Pre-chorus I

| G 𝄽 ♪ | Em 𝄽 ♪ | E♭6 / / / | D / / / |

Don't just say yes to tease_____ me._____

| G | Em | E♭ | D |

Do your upmost to please___ me.___

| G | Em | E♭ | D |

I don't mean to be slea - zy,

| G 3 | Em 3 | E♭6 / / / | D / / / |

Be - ing you can't be ea - sy.

Chorus I

‖ G   B♭ | A   A♭ |

When you're creepin' up the backstairs, mother's nightmares

| G   B♭ | A   A♭ |

Falling in the front door, my, my.

| G   B♭ | A   A♭ |

Climbing in the window, get dressed, let's go,

| G   B♭ | A   A♭ ‖

Take your brother's car keys, bye, bye.

Riff 2   *As Riff I*

Verse 2

‖ G | E⁷ | A⁷ |

See your yellow fingers and your crucifix bones

| D⁷ |

All covered in cellophane.

| G | E⁷ |

Was there when your best friend said

| A⁷ | D⁷ |

"Sweetheart", I'm just here to get drunk again

| G | E⁷ |

I wouldn't move if I was you,

| A⁷ | D⁷ |

I wouldn't want to get caught, when the lights go out, she said

| G | E⁷ |

"You think you're so special," I said

| A⁷ | D⁷ ‖

"Sunshine I'm just bored, I'm just checking out."

28

Pre-chorus 2   *As Pre-chorus 1*

Chorus 2   *As Chorus 1*

Instrumental   ‖: G   B♭ | A   A♭ | G   B♭ | A   A♭ :‖

‖: C   E♭ | D*   D♭ | C   E♭ | D*   D♭ :‖

| C   B   B♭   A   A♭ |

Pre-chorus 3   *As Pre-chorus 1*

Chorus 3   ‖: *Chorus 1* :‖

Outro   ‖: G   B♭ | A   A♭ | G   B♭ | A   A♭ :‖

I WRITE SINS NOT TRAGEDIES

Words and Music by Brendan Urie, Ryan Ross, Spencer Smith and Brent Wilson

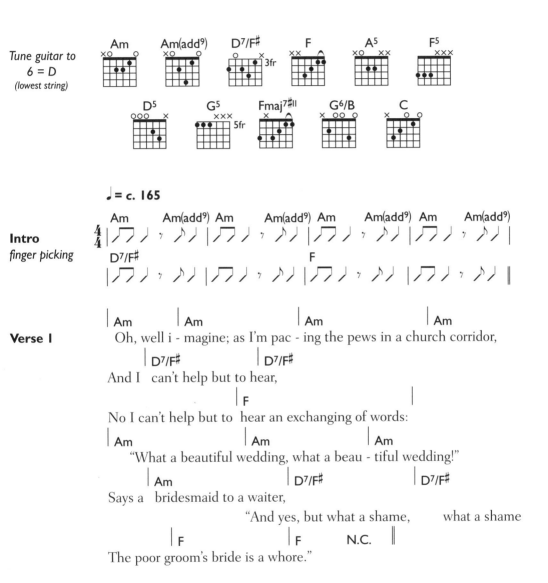

Tune guitar to
6 = D
(lowest string)

Intro
finger picking

Verse 1

|Am |Am |Am |Am
Oh, well i - magine; as I'm pac - ing the pews in a church corridor,

|D⁷/F♯ |D⁷/F♯
And I can't help but to hear,

|F |
No I can't help but to hear an exchanging of words:

|Am |Am |Am
"What a beautiful wedding, what a beau - tiful wedding!"

|Am |D⁷/F♯ |D⁷/F♯
Says a bridesmaid to a waiter,

"And yes, but what a shame, what a shame

|F |F N.C. ‖
The poor groom's bride is a whore."

Chorus I

| A5 / ⁷ ♪ / | F5 / ♫♫ |

I'd chime in with a "Haven't you people ever

| D5 / / / | / / / G5 / / |

heard of   closing a god - damn door?!"

| A5 | F5 | D5 |

No, it's much   better to face these kinds of things

              | D5   G5 |

With a sense of   poise and ration - ality.

| A5 | F5 | D5 | D5   G5

I'd chime in "Haven't you people ever heard of closing the god - damn do▸

| A5 | F5 | D5 | D5   G5   ‖

No, it's much   better to face these kinds of things with a sense of…

Verse 2

| Am | Am | Am

     Well in   fact well, I'll   look at it this way,

        | Am |

I mean   technically our marriage is saved!

| D/F♯ | D/F♯ | F | F |

     Well this   calls for___ a toast so___ pour the champagne!

| Am | Am | Am

Oh! Well in fact,   I'll look at it this way,

        | Am |

I mean technically our marriage is saved!

| D/F♯ | D/F♯ | Fmaj7♯¹¹ | Fmaj7♯¹¹

     Well this   calls for a toast so pour the champagne, pour   the champagi▸

Bridge

Fmaj7#11   D5   G6/B

Chorus 2   *As Chorus 1*

Middle

Fmaj7#11   D5   G6/B

poise_____ and_____ rationality._____

Fmaj7#11   D5

| Fmaj7#11 | Fmaj7#11 G6/B | C | C | Fmaj7#11 | Fmaj7#11 |

A - gain._____

Chorus 3   *As Chorus 1*

Outro

Fmaj7#11   D5   G6/B

poise_____ and_____ rationality._____

Fmaj7#11   D5

| Fmaj7#11 | Fmaj7 G6/B | C | C | |

A - gain._____

Fmaj7#11   D5

Fmaj7#11

DANCE ME IN

Words and Music by Adele Bethel, Scott Paterson, Ailidh Lennon and David Gov

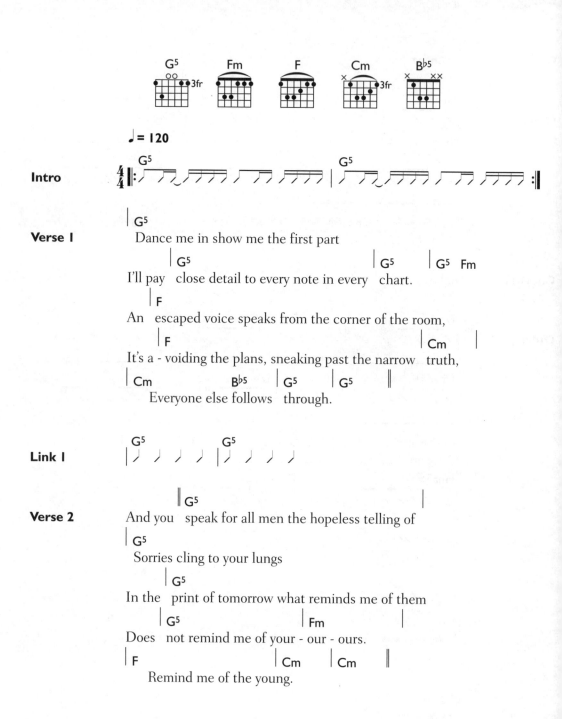

G5   Fm   F   Cm   B♭5

♩ = 120

Intro — G5 … G5

Verse 1

G5
Dance me in show me the first part

G5   G5   G5   Fm
I'll pay close detail to every note in every chart.

F
An escaped voice speaks from the corner of the room,

F   Cm
It's a - voiding the plans, sneaking past the narrow truth,

Cm   B♭5   G5   G5
Everyone else follows through.

Link 1

G5   G5

Verse 2

G5
And you speak for all men the hopeless telling of

G5
Sorries cling to your lungs

G5
In the print of tomorrow what reminds me of them

G5   Fm
Does not remind me of your - our - ours.

F   Cm   Cm
Remind me of the young.

Chorus 1

| G⁵ | |

Just dance me in,

| G⁵ | |

Just dance me in,

| G⁵ | |

Just dance me in,

| G⁵ | F |

Dance me in, _____

| F | Cm | Cm |

Dance me in. _____   (Why do you need my love?)

Verse 3

‖ G⁵ |

You speak for all men the hopeless telling of

| G⁵

Sorries cling to your lungs

| G⁵

In the print of tomorrow what reminds me of them

| G⁵ | Fm |

Does not remind me of your - our - ours.

| F | Cm | Cm ‖

Remind me of the young.

Chorus 2   *As Chorus 1*

Link 2

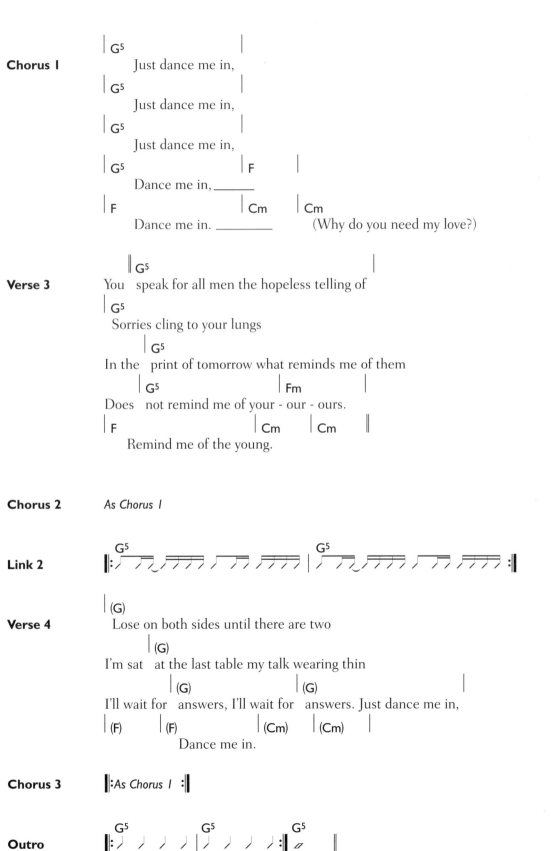

Verse 4

| (G)

Lose on both sides until there are two

| (G)

I'm sat at the last table my talk wearing thin

| (G) | (G) |

I'll wait for answers, I'll wait for answers. Just dance me in,

| (F) | (F) | (Cm) | (Cm) |

Dance me in.

Chorus 3   ‖:*As Chorus 1* :‖

Outro

DO WHAT YOU WANT

Words and Music by Damien Kulash

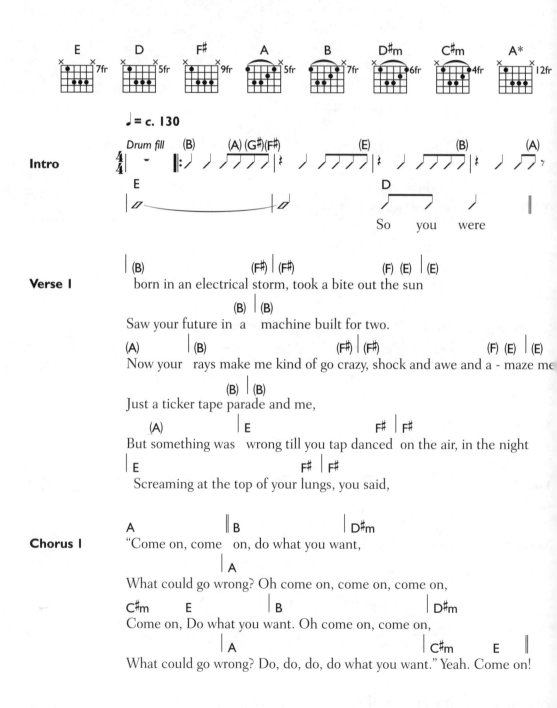

Intro

♩ = c. 130

Drum fill (B) (A) (G#)(F#) (E) (B) (A)

E D

So you were

Verse 1

(B) (F#) (F#) (F) (E) (E)
born in an electrical storm, took a bite out the sun

(B) (B)
Saw your future in a machine built for two.

(A) (B) (F#) (F#) (F) (E) (E)
Now your rays make me kind of go crazy, shock and awe and a - maze me

(B) (B)
Just a ticker tape parade and me,

(A) E F# F#
But something was wrong till you tap danced on the air, in the night

E F# F#
Screaming at the top of your lungs, you said,

Chorus 1

A B D#m
"Come on, come on, do what you want,

A
What could go wrong? Oh come on, come on, come on,

C#m E B D#m
Come on, Do what you want. Oh come on, come on,

A C#m E
What could go wrong? Do, do, do, do what you want." Yeah. Come on!

Break

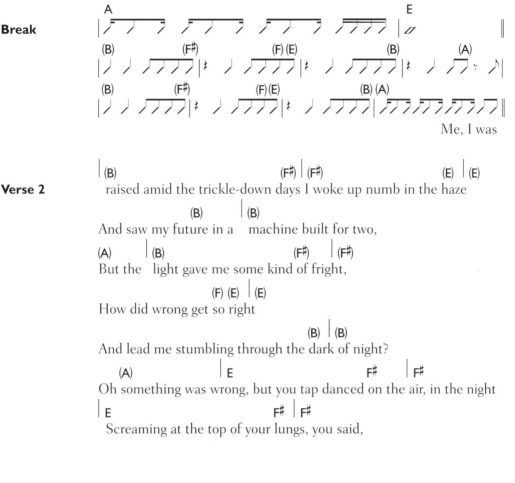

Me, I was

Verse 2

raised amid the trickle-down days I woke up numb in the haze

And saw my future in a   machine built for two,

But the   light gave me some kind of fright,

How did wrong get so right

And lead me stumbling through the dark of night?

Oh something was wrong, but you tap danced on the air, in the night

 Screaming at the top of your lungs, you said,

Chorus 2   *As Chorus 1*

Outro

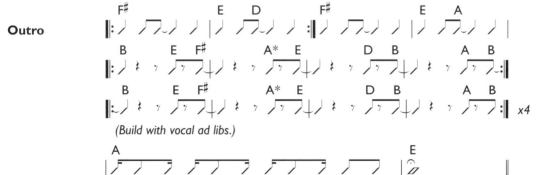

(Build with vocal ad libs.)

JUICEBOX

Words and Music by Julian Casablancas

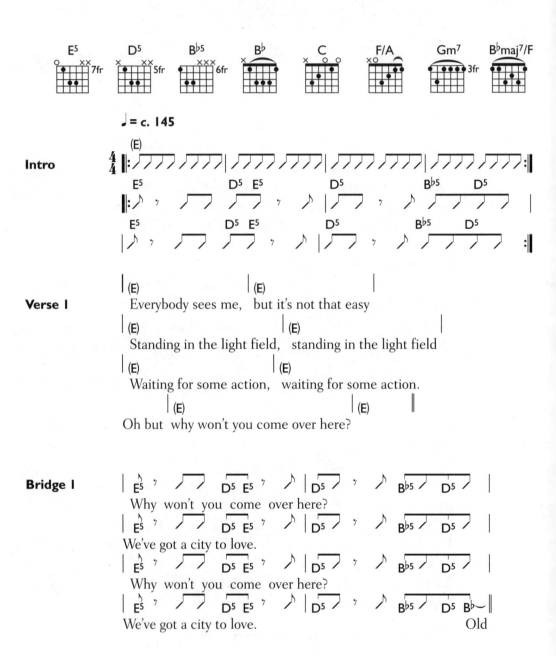

Intro

Verse 1

Everybody sees me, but it's not that easy

Standing in the light field, standing in the light field

Waiting for some action, waiting for some action.

Oh but why won't you come over here?

Bridge 1

Why won't you come over here?

We've got a city to love.

Why won't you come over here?

We've got a city to love.   Old

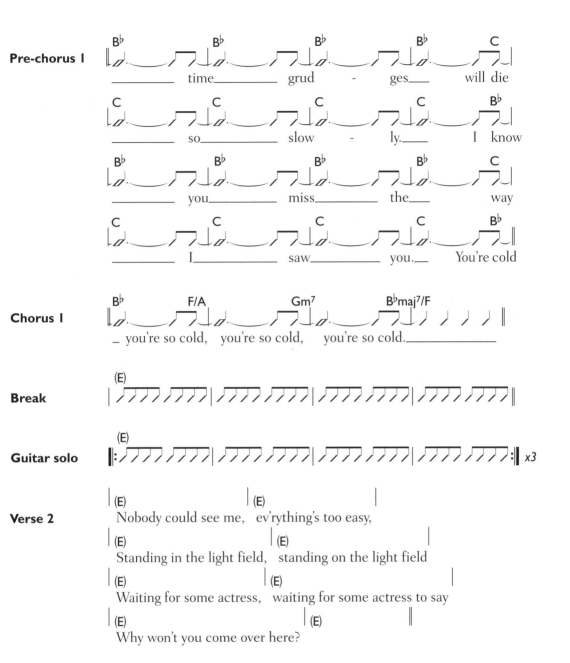

Pre-chorus I

| Bb | Bb | Bb | Bb | C |

_____ time_____ grud - ges___ will die

| C | C | C | C | Bb |

_____ so_____ slow - ly.___ I know

| Bb | Bb | Bb | Bb | C |

_____ you___ miss_____ the___ way

| C | C | C | C | Bb |

_____ I_____ saw_____ you.___ You're cold

Chorus I

| Bb | F/A | Gm7 | Bbmaj7/F |

_ you're so cold, you're so cold, you're so cold._____

Break

(E)

Guitar solo

(E) x3

Verse 2

| (E) | (E) | |
Nobody could see me, ev'rything's too easy,

| (E) | (E) | |
Standing in the light field, standing on the light field

| (E) | (E) | |
Waiting for some actress, waiting for some actress to say

| (E) | (E) | |
Why won't you come over here?

Bridge 2   *As Bridge 1*

Pre-chorus 2

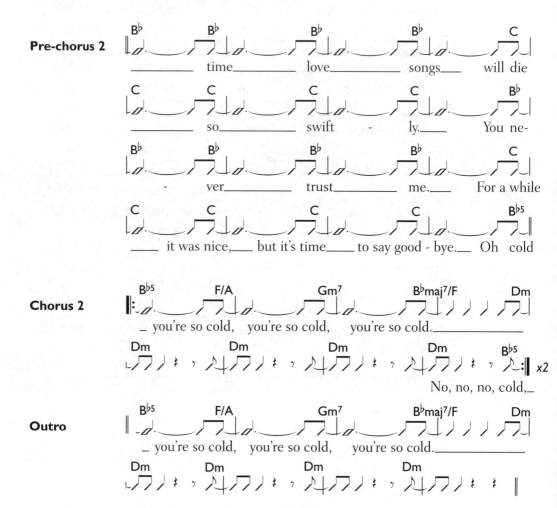

Chorus 2

Outro

KILLING LONELINESS

Words and Music by Ville Valo

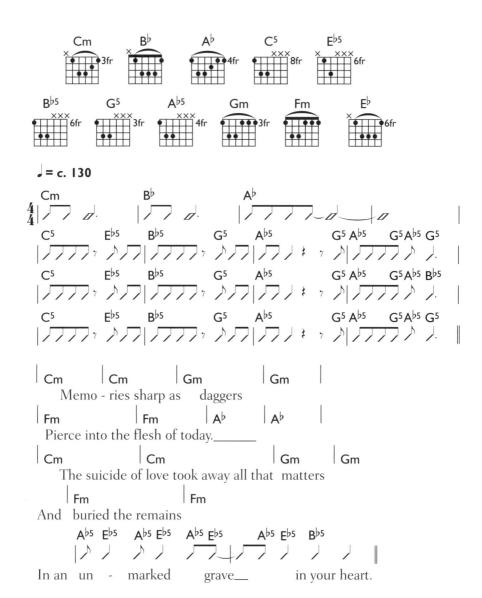

Chorus I

| Cm | | | E♭ |

With the venomous kiss you gave me,

| A♭ | | A♭ | |

I'm killing loneliness, (killing loneliness)

| Cm | | E♭ | A♭ |

With the warmth of your arms, you save me___

| A♭ | | E♭ | B♭ |

Oh I'm killing loneliness with   you,_____

G⁵   A♭5

The killing loneliness that turned my heart into a   tomb._____ | E♭ | B♭ |

C⁵   A♭5

I'm kill - ing lone - li - ness.__

Break I

C⁵   E♭5   B♭5   G⁵   A♭5   G⁵ A♭5   G⁵A♭5 B♭5

C⁵   E♭5   B♭5   G⁵   A♭5   G⁵ A♭5   G⁵A♭5 G⁵

Verse 2

| Cm | | Cm | Gm | Gm |

Nailed to a cross   to - gether

| Fm | Fm | A♭ | A♭ | |

As solitude begs us to   stay.

| Cm | | Cm | Gm | Gm |

Then we disap - pear in the lie for - ever,

| Fm | | Fm | |

And de - nounce the power of death over our

| A♭5   A♭5 E♭5 A♭5 E♭5 | A♭5   E♭5 B♭5 |

souls as se - cret words   are said to start a war.

Chorus 2   *As Chorus I*

Instrumental ‖ E♭ | Gm | A♭ | A♭ ‖

(I'm killing loneliness...)

C5 B♭5 C5 (Cm) (Cm) ‖ A♭5 E♭5 A♭5 E♭5 A♭5 E♭5 A♭5 E♭5 B♭5 |

| C5 | C5 | C5 | C5 |

A♭5 E♭5 A♭5 E♭5 A♭5 E♭5 A♭5 E♭5 B♭5 A♭5 E♭5 A♭5 E♭5 A♭5 E♭5 A♭5 E♭5 B♭5 ‖

(I'm killing loneliness...)

Chorus 3 *As Chorus 1*

Outro

C5 E♭5 B♭5 G5 A♭5 G5 A♭5 G5 A♭5 B♭5

you.) (I'm killing loneliness with

C5 E♭5 B♭5 G5 A♭5 G5 A♭5 G5 A♭5 G5

you.) (I'm killing loneliness with

Cm B♭ A♭ Cm

you.) (Killing loneliness.)

MEMORIZE THE CITY

Words and Music by Katie Sketch

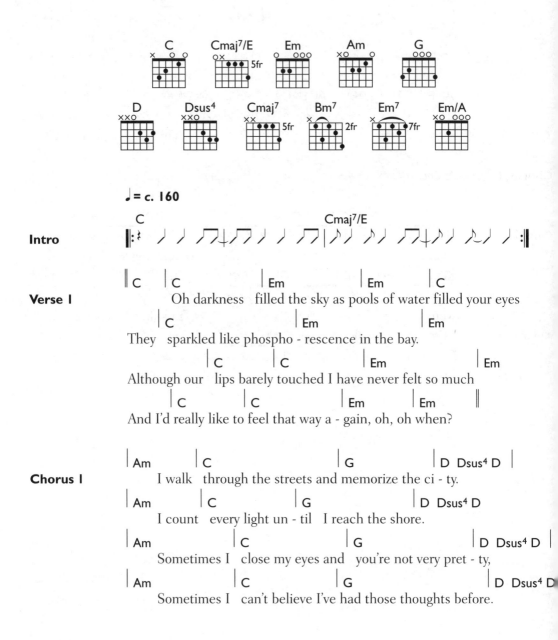

♩ = c. 160

Intro

C Cmaj⁷/E

Verse I

| C | C | Em | Em | C |

Oh darkness   filled the sky as pools of water filled your eyes

| C | Em | Em |

They   sparkled like phospho - rescence in the bay.

| C | C | Em | Em |

Although our   lips barely touched I have never felt so much

| C | C | Em | Em |

And I'd really like to feel that way a - gain, oh, oh when?

Chorus I

| Am | C | G | D Dsus⁴ D |

I walk   through the streets and memorize the ci - ty.

| Am | C | G | D Dsus⁴ D |

I count   every light un - til   I reach the shore.

| Am | C | G | D Dsus⁴ D |

Sometimes I   close my eyes and   you're not very pret - ty,

| Am | C | G | D Dsus⁴ D |

Sometimes I   can't believe I've had those thoughts before.

Verse 2

| C | | C | | Em | | Em |

We   pulled a boat down to the dock and stole two steady oars,

| C | | C | | Em | | Em |

I   pushed you off in - to the dark: a - crisius fa - vours,

| C | | C | | Em | | Em |

And from a - bove the great a - byss you threw pennies in and wished

| C | | C | | Em | | Em | ‖

For the   feeling of   wanting nothing more, more, more, more.

Chorus 2   *As Chorus 1*

Instrumental

| Cmaj⁷ | Cmaj⁷ | Bm⁷ | Bm⁷ | x5

‖: ∕ ∕ ∕ ∕ | ∕ ∕ ∕ ∕ | ∕ ∕ ∕ ∕ | ∕ ∕ ∕ ∕ :‖

| Cmaj⁷ | Cmaj⁷ | Em⁷ | Em⁷ |

‖: Am | C | G | D   Dsus⁴   D :‖ x4

Outro

‖ C | C | Am | Em/A |

Sometimes I close my eyes

| C | C | Em⁷ | D |

And hope that I   can keep a - way all the dark - ened   skies.

C   Bm⁷   Em/A   Em/A

MARDY BUM

Words and Music by Alex Turner

Intro

♩ = c. 110

G   F#m

Em   A

Link I

D   F#

G   F#m   Em   A

Verse I

| D | F#

Well now then Mardy Bum

| G

I see your frown

F#m | Em

And it's like looking down the barrel of a gun

A | D

And it   goes off,

| F#

And out come all these   words

| G   F#m

Oh there's a very pleasant side to you

| Em

A side I much prefer,

Chorus 1

      A   ‖G* | A
It's one that   laughs and jokes a-round
             | D   A
Remember cuddles in the kitchen, yeah
   | Bm
To get things off the ground
        | G* | A
And it was   up, up and a - way
            | D   A |
Oh, but it's right hard to remember that
| Bm |G*
 On a day like today when you're all___ argumentative
| A   ‖
     And you've got the face on.

Link 2   *As Link 1*

Verse 2

‖ D |F♯
     Well now then Mardy Bum
      | G   F♯m | Em
Oh I'm in trouble a-gain, aren't I?
   A | D
I thought as much
              | F♯
'Cause you turned over there
       |G   F♯m
Pulling that silent disappoint - ment face,
   | Em
The one that I can't bear.

Chorus 2

      A   ‖G* | A
Well can't we   laugh and joke a-round?
        |D   A
Remember cuddles in the kitchen, yeah
   |Bm
To get things off the ground
      |G* | A
And it was   up, up and a - way
        |D   A |
Oh, but it's right hard to remember that
| Bm |G* |
 On a day like today when you're all___ argumentative
| A   ‖
     And you've got the face on.

Middle

| F#* | G*

And yeah I'm sorry I was late,

    | F#*

Well I missed the train

        | G*

And then the traffic was a state

    | F#* | G*

And I can't be arsed to carry on in this de-bate

       | F#*

That reoccurs, oh when you say I don't care

   | G*   A   ‖

Well of course I do, yeah I clearly do! Yeah.

Guitar solo

Chorus 3

‖ G* | A

  So laugh and joke around,

    | D   A

Remember cuddles in the kitchen, yeah

 | Bm

To get things off the ground

   | G* | A

And it was up, up and a - way

    | D   A |

Oh, but it's right hard to remember that

| Bm   ¾| N.C. 4/4| G* |

 On a day like today when you're all   argumentative

| A | D   ‖

 And you've got the face on.

NATURES LAW

Words and Music by Daniel Anthony McNamara, Richard McNamara, Michael Heaton, Steven Firth, Mickey Dale and Martin Glover

Em   C   D   F   D⁷   G   Am

Capo 1st Fret

♩ = c. 91

Intro
(Piano)

4/4 ‖: Em   C | D   Em | Em   C | D   Em   :‖

Verse I

‖ Em | C | D
I tried to fight the feel - ing, the feeling took me down,
         | Em | Em
I struggled and I lost the day you knocked me out.
                  | C | D
Now everything's got   meaning, the meanings bring me down,
                | Em | F
I'm watching as the   screening of my life plays out.

Pre-chorus I

                    ‖ Em |
Everyday I   fight these feelings,
| D | Em |
    For your sake I will hide   the real thing.
| F | Em | D | D⁷   ‖
    You can run all your life,   all mine I will chase._____

Chorus I

| Em   C | D   Em |
    You should never fight your feel - ings,
| Em   C | D   Em
    When your very   bones be - lieve them, |
| Em   C | D   Em
    You should never fight your feel - ings,
    | Em   C | D   Em   ‖
You   have to follow   nature's law.

48

Verse 2

| Em | C | D
I'll live with never   knowing, if knowing's gonna change,

| Em | Em
Or stop the feeling growing, I will stay away.

| C | D
Like a broken   record stuck before a song,

| Em | F
A million be - ginnings, none of them the one.

Pre-chorus 2   *As Pre-chorus 1*

Chorus 2   *As Chorus 1*

Middle

‖ Em | G |
I wrote her letters and tried to send them,

| C | D |
In a bottle I   placed my hope.

| Am | Em |
An SOS full of good   intentions,

| G | D | Am |
Sinking, will you   give in to me? Don't make me wait._____

| Em | G |
You built me up, knocked me down,

| D | Am | Em
But I will stand my ground,___

| G | D   ‖
And guide this light that I've found.___

Chorus 3
(Piano)

| Em   C | D   Em |
You should never   fight your feel - ings

| Em   C | D   Em |
When your very   bones be - lieve them,

| Em   C | D   Em |
If you let them   show you'll keep them,

| Em   C | D   Em |
I know you're hurt but soon you'll rise

| Em   C | D | Em   C | D   ‖
A - gain, a - gain, a - gain, a - gain, a - gain, a - gain a - gain, a - gain.

Chorus 4

| Em   C | D   Em |
You should never   fight your feel - ings

| Em   C | D   Em |
When your very   bones be - lieve them,

| Em   C | D   Em |
You should never   fight your feel - ings

| Em   C | D   Em   ‖
I have to follow nature's law.

Outro
(Piano)

| Em   C | D   Em | Em   C | D   Em | Em   ‖

RAOUL

Words and Music by Robin Hawkins, James Frost, Iwan Griffiths and Alexander Pennie

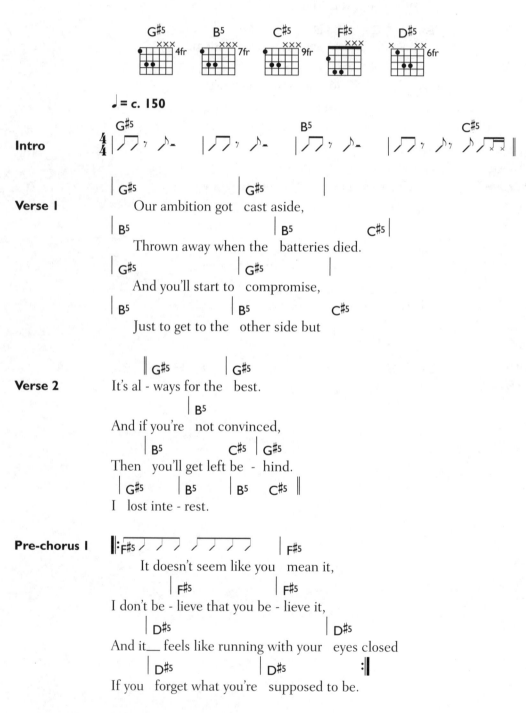

Intro

G#5 / B5 / C#5

Verse 1

| G#5 | G#5 |
Our ambition got cast aside,

| B5 | B5 C#5 |
Thrown away when the batteries died.

| G#5 | G#5 |
And you'll start to compromise,

| B5 | B5 C#5 |
Just to get to the other side but

Verse 2

‖ G#5 | G#5 |
It's al - ways for the best.

| B5
And if you're not convinced,

| B5 C#5 | G#5
Then you'll get left be - hind.

| G#5 | B5 | B5 C#5 ‖
I lost inte - rest.

Pre-chorus 1

‖: F#5 / / / / / / | F#5
It doesn't seem like you mean it,

| F#5 | F#5
I don't be - lieve that you be - lieve it,

| D#5 | D#5
And it__ feels like running with your eyes closed

| D#5 | D#5 :‖
If you forget what you're supposed to be.

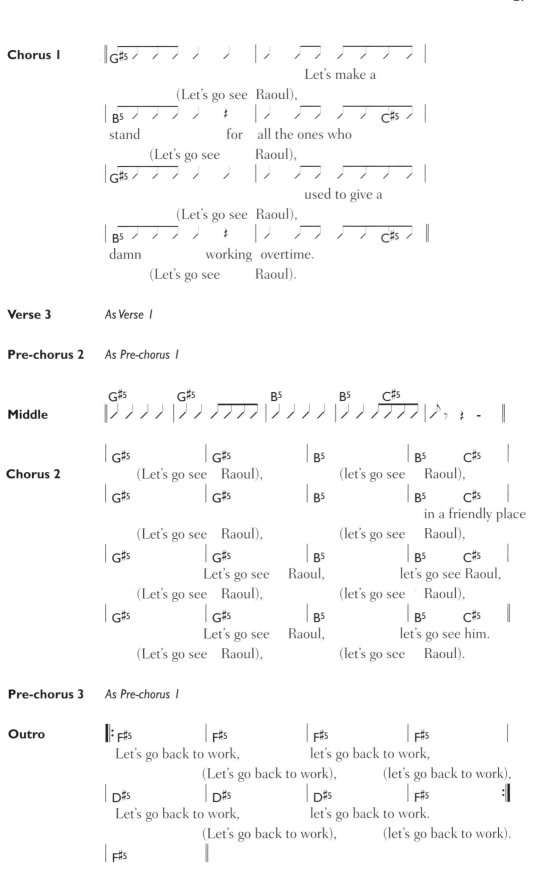

Chorus 1

G#5 ... Let's make a
(Let's go see Raoul),
B5 ... C#5 stand for all the ones who
(Let's go see Raoul),
G#5 ... used to give a
(Let's go see Raoul),
B5 ... C#5 damn working overtime.
(Let's go see Raoul).

Verse 3   *As Verse 1*

Pre-chorus 2   *As Pre-chorus 1*

Middle

G#5   G#5   B5   B5   C#5

Chorus 2

G#5   G#5   B5   B5   C#5
(Let's go see Raoul),   (let's go see Raoul),
G#5   G#5   B5   B5   C#5
in a friendly place
(Let's go see Raoul),   (let's go see Raoul),
G#5   G#5   B5   B5   C#5
Let's go see Raoul,   let's go see Raoul,
(Let's go see Raoul),   (let's go see Raoul),
G#5   G#5   B5   B5   C#5
Let's go see Raoul,   let's go see him.
(Let's go see Raoul),   (let's go see Raoul).

Pre-chorus 3   *As Pre-chorus 1*

Outro

F#5   F#5   F#5   F#5
Let's go back to work,   let's go back to work,
(Let's go back to work),   (let's go back to work),
D#5   D#5   D#5   F#5
Let's go back to work,   let's go back to work.
(Let's go back to work),   (let's go back to work).
F#5

ROCK N ROLL QUEEN

Words by Billy Lunn
Music by The Subways

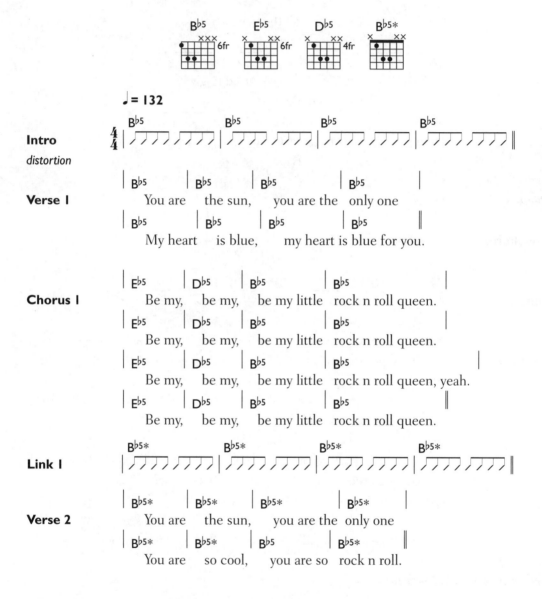

Intro

distortion

$\,\rule{0pt}{0pt}$ = 132

| B♭5 | B♭5 | B♭5 | B♭5 |

Verse 1

| B♭5 | B♭5 | B♭5 | B♭5 |

You are   the sun,   you are the   only one

| B♭5 | B♭5 | B♭5 | B♭5 |

My heart   is blue,   my heart is blue for you.

Chorus 1

| E♭5 | D♭5 | B♭5 | B♭5 |

Be my,   be my,   be my little   rock n roll queen.

| E♭5 | D♭5 | B♭5 | B♭5 |

Be my,   be my,   be my little   rock n roll queen.

| E♭5 | D♭5 | B♭5 | B♭5 |

Be my,   be my,   be my little   rock n roll queen, yeah.

| E♭5 | D♭5 | B♭5 | B♭5 |

Be my,   be my,   be my little   rock n roll queen.

Link 1

| B♭5* | B♭5* | B♭5* | B♭5* |

Verse 2

| B♭5* | B♭5* | B♭5* | B♭5* |

You are   the sun,   you are the only one

| B♭5* | B♭5* | B♭5 | B♭5* |

You are   so cool,   you are so   rock n roll.

Chorus 2   *As Chorus 1*

Link 2   *As Link 1*
clean

| Bb5* | Bb5 | Bb5* | Bb5* |
You are   the sun,   you are the   only one

Verse 3

| Bb5* | Bb5* | Bb5* | Bb5* ‖
You are   so cool,   you are so   rock and roll.

Link 3

distortion

Chorus 3   *As Chorus 1*

Outro

NEIGHBORHOOD #1 (TUNNELS)

**Words and Music by Win Butler, Regine Chassagne,
Richard Parry, Tim Kingsbury and Josh Deu**

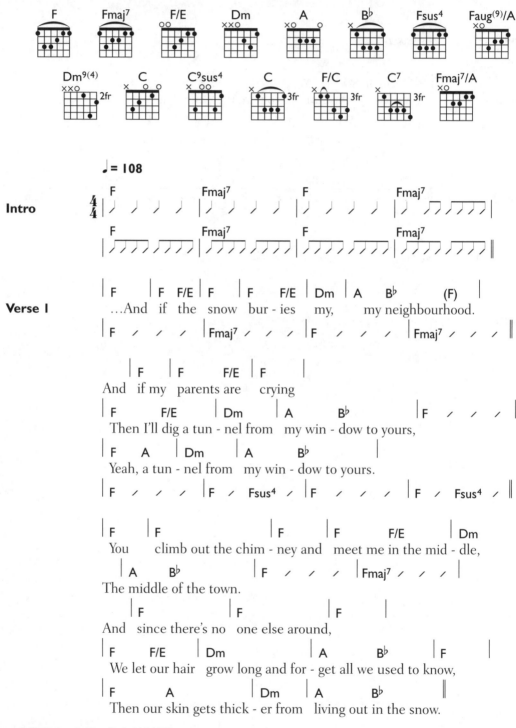

Chorus 1

| F | | F | Faug⁽⁹⁾/A |

$|$ F $\quad\quad|$ F $\quad$ Faug$^{(9)}$/A $|$
You change all the lead

$|$ F $\quad\quad|$ F $\quad\quad$ Faug$^{(9)}$/A $|$
Sleepin' in my head,

$|$ Dm $\quad|$ Dm $\quad\quad$ Dm$^{9(4)}$
As the   day grows dim

$|$ Dm $\quad\quad|$ Dm $\quad|$ C $\quad\quad|$
I hear you sing a golden hymn.

$|$C^{9}sus^{4} ∕ ∕ ∕ $|$C ∕ F/C ∕ $|$C^{7} ∕ ∕ ∕ $‖$

Link

$\quad$ F $\quad\quad\quad$ Fmaj^{7} $\quad\quad\quad$ F $\quad\quad\quad$ Fmaj^{7}
$|$ ∕ ∕ ∕ ∕ $|$ ∕ ∕ ∕ ∕ $|$ ∕ ∕ ∕ ∕ $|$ ∕ ∕ ∕ ∕ $‖$

Verse 2

$|$ F $\quad\quad|$ F $\quad|$ F/E $\quad\quad|$ F $\quad|$
Then we tried to name our ba - bies,

$|$ F $\quad|$ F/E $\quad\quad|$ Dm
But we for - got all the names that,

$|$ A $\quad\quad$ B$^\flat$ $\quad\quad\quad|$
The names we used to know.

$|$ F ∕ ∕ ∕ $|$Fmaj^{7} ∕ ∕ ∕ $|$F ∕ ∕ ∕ $|$Fmaj^{7} ∕ ∕ ∕

$‖$ F $\quad\quad|$ F $\quad$ F/E $\quad\quad\quad|$ F $\quad|$
But sometimes, we re - member our bed - rooms,

$|$ F $\quad\quad$ F/E $\quad|$ Dm
And our   parent's bed - rooms,

$|$ A $\quad\quad$ B$^\flat$ $\quad\quad\quad|$ F $\quad\quad|$
And the   bedrooms of our friends.

$|$ F $\quad\quad$ A $\quad\quad\quad|$ Dm
Then we think of our pa - rents,

$|$ A $\quad\quad$ B$^\flat$ $\quad\quad\quad\quad\quad‖$
Well what ever happened to them?!

Chorus 2

| F | | F Faug⁽⁹⁾/A |
You change all the lead
| F | F Faug⁽⁹⁾/A |
Sleepin' in my head,
| Dm | Dm |
As the day grows dim
| Dm | Dm | C
I hear you sing a golden hymn,
| C⁹sus⁴ | C F/C | C⁷ ╱ ╱ ╱ ‖
The song I've been trying to say.

Chorus 3

| F | F | Faug⁽⁹⁾/A |
Puri - fy the colours,
| F | F | Faug⁽⁹⁾/A |
Puri - fy my mind,
| Dm | Dm | Dm⁹⁽⁴⁾ |
Puri - fy the co - lours,
| Dm | Dm | C | C⁹sus⁴ | C F/C
Puri - fy my mind, and spread the ashes of the co - lours over
| C⁷ ‖
This heart of mine!

Outro

| F | F Fmaj⁷/A | F | F Fmaj⁷/A |
‖: ╱ ╱ ╱ ╱ | ╱ ╱ ╱ ╱ | ╱ ╱ ╱ ╱ | ╱ ╱ ╱ ╱ |

| Dm | Dm Dm⁹sus⁴ | Dm | Dm Dm⁹sus⁴ |
| ╱ ╱ ╱ ╱ | ╱ ╱ ╱ ╱ | ╱ ╱ ╱ ╱ | ╱ ╱ ╱ ╱ |

| C | C⁹sus⁴ | C F/C | C⁷ |
| ╱ ╱ ╱ ╱ | ╱ ╱ ╱ ╱ | ╱ ╱ ╱ ╱ | ╱ ╱ ╱ ╱ :‖

| F | Fmaj⁷ | F | Fmaj⁷ |
‖: ╱ ╱ ╱ ╱ | ╱ ╱ ╱ ╱ | ╱ ╱ ╱ ╱ | ╱ ╱ ╱ ╱ :‖

| F |
| ╱ ‖

SEWN

Words and Music by Daniel Sells

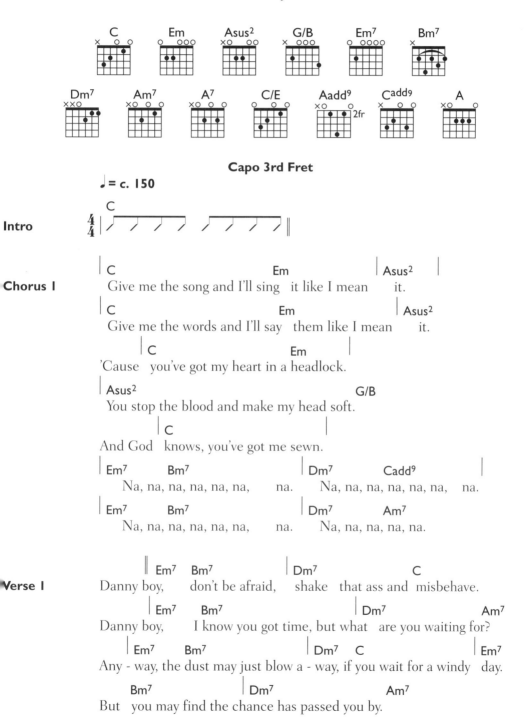

Capo 3rd Fret

♩ = c. 150

Intro

| C |

Chorus I

| C   Em | Asus² |
Give me the song and I'll sing   it like I mean   it.

| C   Em | Asus² |
Give me the words and I'll say   them like I mean   it.

| C   Em |
'Cause   you've got my heart in a headlock.

| Asus²   G/B
You stop the blood and make my head soft.

| C |
And God   knows, you've got me sewn.

| Em⁷   Bm⁷ | Dm⁷   Cadd⁹ |
Na, na, na, na, na, na,   na.   Na, na, na, na, na, na,   na.

| Em⁷   Bm⁷ | Dm⁷   Am⁷ |
Na, na, na, na, na, na,   na.   Na, na, na, na, na.

Verse I

‖ Em⁷   Bm⁷ | Dm⁷   C
Danny boy,   don't be afraid,   shake   that ass and   misbehave.

| Em⁷   Bm⁷ | Dm⁷   Am⁷
Danny boy,   I know you got time, but what   are you waiting for?

| Em⁷   Bm⁷ | Dm⁷   C | Em⁷
Any - way, the dust may just blow a - way, if you wait for a windy   day.

Bm⁷ | Dm⁷   Am⁷
But   you may find the chance has passed you by.

Pre-chorus I

‖ C | A⁷
I   can't do the walk, I can't do the talk.
| C | A⁷
I   can't be your friend un - less I pretend.

Chorus 2

‖ C   C/E | A⁷ |
So give me the song and I'll sing it like I mean   it.
| C   C/E | A⁷
 Give me the words and I'll say them like I mean   it.
        | C   Em |
'Cause you've got my heart in a head - lock.
| A⁷   G/B
 You stop the blood and make my head soft.
         | C |
And God knows, you've got me sewn.
| Em⁷   Bm⁷ | Dm⁷   C |
  Na, na, na, na, na, na,   na.   Na, na, na, na, na, na, na.
| Em⁷   Bm⁷ | Dm⁷   Am⁷
  Na, na, na, na, na, na,   na,   Na, na, na, na, na.

Verse 2

‖ Em⁷   Bm⁷ | Dm⁷   C
Danny boy,   don't be a fool, take a punt and break a rule.
| Em⁷   Bm⁷
Danny boy,   you're looking so low,
        | Dm⁷   Am⁷
You're look - ing like the dead grown old.
    | Em⁷   Bm⁷ | Dm⁷ C | E
Any - way,   your blues may just wash away   if you wait for a rainy day
   Bm⁷ | Dm⁷   Am⁷
But you may find the chance has passed you by.

Pre-chorus 2   *As Pre-chorus I*

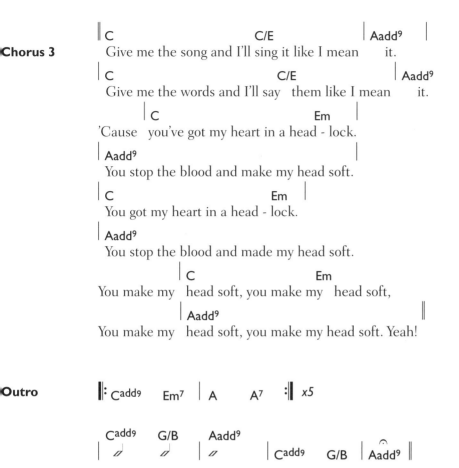

Chorus 3

‖ C   C/E | Aadd⁹ |

Give me the song and I'll sing it like I mean   it.

| C   C/E | Aadd⁹

Give me the words and I'll say   them like I mean   it.

          | C   Em |

'Cause   you've got my heart in a head - lock.

| Aadd⁹ |

You stop the blood and make my head soft.

| C   Em |

You got my heart in a head - lock.

| Aadd⁹

You stop the blood and made my head soft.

        | C   Em

You make my   head soft, you make my   head soft,

        | Aadd⁹   ‖

You make my   head soft, you make my head soft. Yeah!

Outro   ‖: Cadd⁹   Em⁷ | A   A⁷   :‖ *x5*

          Cadd⁹   G/B   Aadd⁹

         | ∕   ∕∕ | ∕∕ | Cadd⁹   G/B | Aadd⁹ ‖

SEVEN NATION ARMY

Words and Music by Jack White

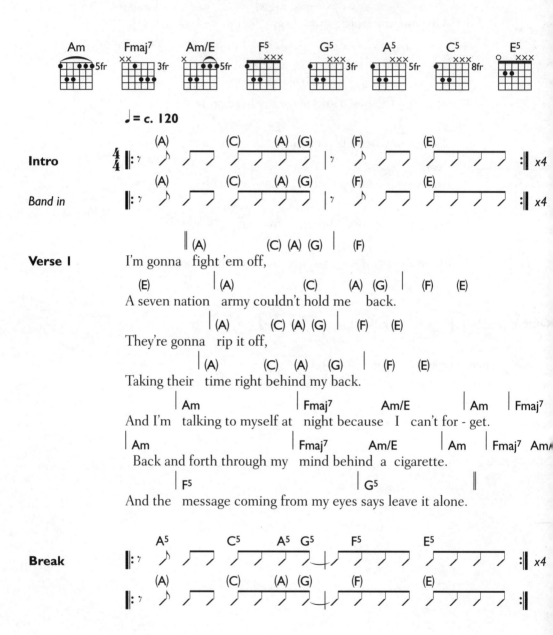

Verse 2

   ‖ (A)   (C) (A) (G) | (F)   (E)
Don't want to   hear about it,

   | (A)   (C) (A) (G) | (F)   (E)
Every single   one's got a story to tell.

    | (A)   (C) (A) (G) | (F)
Everyone   knows about it,

(E) | (A)   (C) (A) (G) | (F)   (E)
From the Queen   of England to the hounds of hell.

   | Am | Fmaj^7
And if I catch it coming back my way

    Am/E | Am | Fmaj^7 Am/E
I'm gon - na serve it to you.

   | Am | Fmaj^7 Am/E | Am | Fmaj^7 Am/E
And that   ain't what you want to   hear but that's what I'll do.

   | F^5 | G^5 ‖
And the   feeling coming from my   bones says find a home.

Instrumental

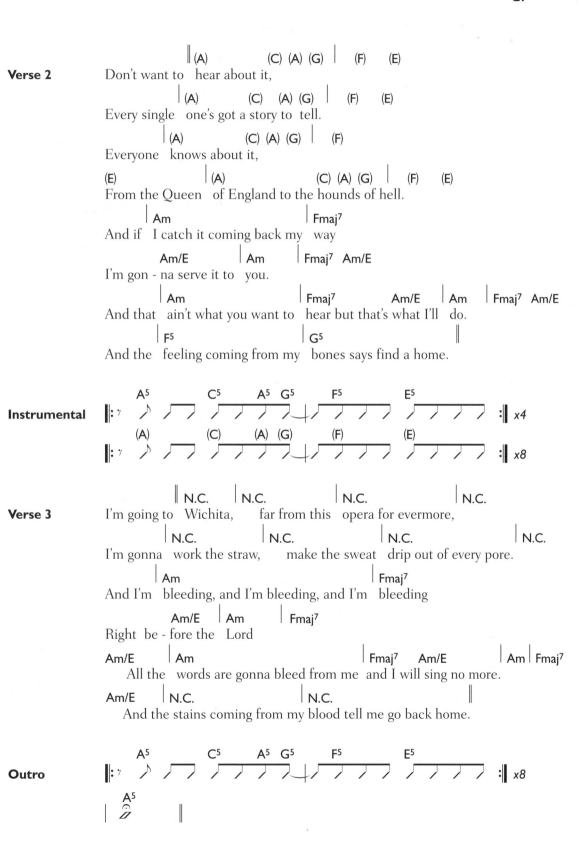

Verse 3

   ‖ N.C. | N.C. | N.C. | N.C.
I'm going to   Wichita,   far from this   opera for evermore,

   | N.C. | N.C. | N.C. | N.C.
I'm gonna   work the straw,   make the sweat   drip out of every pore.

   | Am | Fmaj^7
And I'm   bleeding, and I'm bleeding, and I'm   bleeding

    Am/E | Am | Fmaj^7
Right be - fore the   Lord

Am/E | Am | Fmaj^7 Am/E | Am | Fmaj^7
   All the   words are gonna bleed from me   and I will sing no more.

Am/E | N.C. | N.C.   ‖
   And the stains coming from my blood tell me go back home.

Outro

STANDING ON MY OWN AGAIN

Words and Music by Graham Coxon

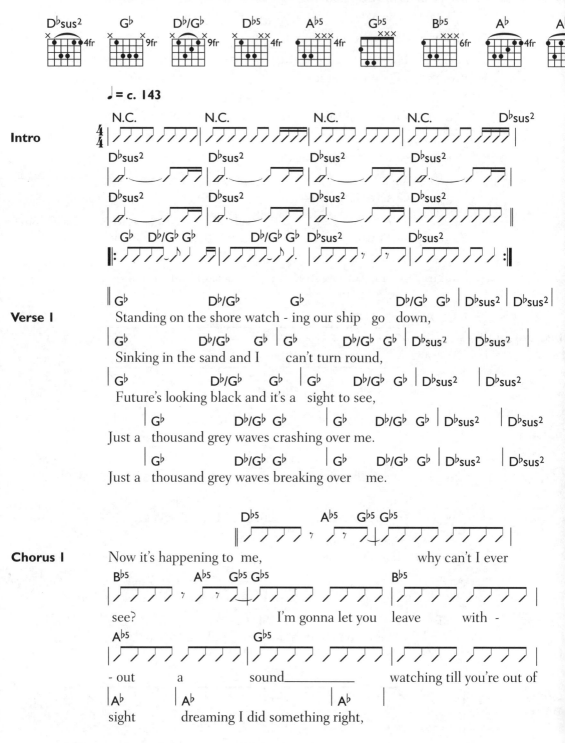

cont.

| A♭7 | | G♭ D♭/G♭ G♭ | G♭ D♭/G♭ G♭ | D♭sus2 | D♭sus2 |

Standing on my own a - gain._____

| G♭ D♭/G♭ G♭ | G♭ D♭/G♭ G♭ | D♭sus2 | D♭sus2 ‖

Verse 2

| G♭ D♭/G♭ G♭ | G♭ D♭/G♭ G♭ | D♭sus2 | D♭sus2 |

Water in my lungs and it's a pain to breathe,

| G♭ D♭/G♭ G♭ | G♭ D♭/G♭ G♭ | D♭sus2 | D♭sus2 |

Salt is in my eyes and it's a pain to see.

| G♭ D♭/G♭ G♭ | G♭ D♭/G♭ G♭ | D♭sus2 | D♭sus2 |

I can't stand the pressure though you think I can,

| G♭ D♭/G♭ G♭ | G♭ D♭/G♭ G♭ | D♭sus2 | D♭sus2 |

Just don't wan - na see it going down the pan.

| G♭ D♭/G♭ G♭ | G♭ D♭/G♭ G♭ | D♭sus2 | D♭sus2 |

Just don't wan - na see it going down the pan.

Chorus 2

‖ D♭5 A♭5 G♭5 |

Now it's happening to me,

| G♭5 | B♭5 A♭5 G♭5 |

Why can't I ever see?

| B♭5 | A♭5 | G♭5 |

Am I gonna let you leave with - out a sound,___

| G♭5 | A♭5 | A♭5 | A♭5 |

Pushing you to your wit's end, guess I'm gonna lose a friend

| A♭7 ‖

Standing on my own a -

(G♭)   (G♭)   (B♭)(A♭)(D♭)   (D♭)

- gain._____

G♭ D♭/G♭ G♭   D♭/G♭ G♭ D♭sus2   D♭sus2

Chorus 3   *As Chorus 1*

Outro

G♭ D♭/G♭ G♭   D♭/G♭ G♭ D♭sus2   D♭sus2

x4

G♭5

START WEARING PURPLE

Words and Music by Eugene Hütz, Eliot Ferguson, Oren Kaplan, Yuri Lemeshev, Sergey Ryabtzev and Rea Mochiach

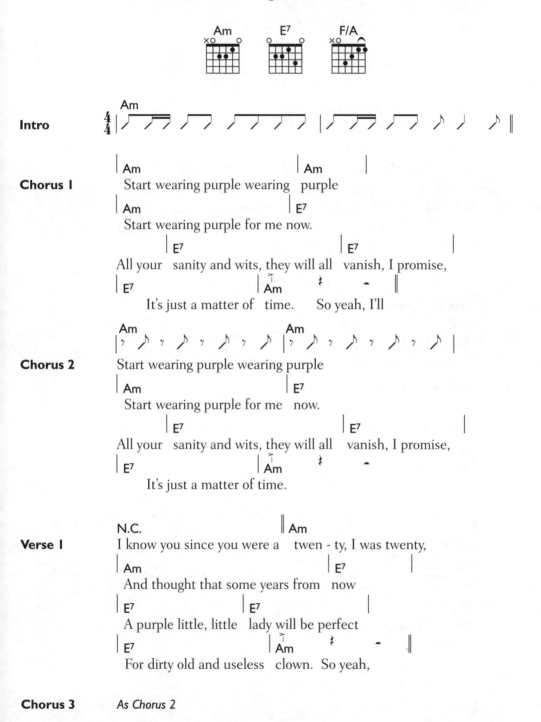

Intro

Chorus 1

Am
Start wearing purple wearing   purple

Am   E^7
Start wearing purple for me now.

E^7 E^7
All your   sanity and wits, they will all   vanish, I promise,

E^7 Am
It's just a matter of   time.   So yeah, I'll

Chorus 2

Am   Am
Start wearing purple wearing purple

Am   E^7
Start wearing purple for me   now.

E^7 E^7
All your   sanity and wits, they will all   vanish, I promise,

E^7 Am
It's just a matter of time.

Verse 1

N.C.   Am
I know you since you were a   twen - ty, I was twenty,

Am   E^7
And thought that some years from   now

E^7 E^7
A purple little, little   lady will be perfect

E^7 Am
For dirty old and useless   clown. So yeah,

Chorus 3   *As Chorus 2*

Verse 2

N.C.   ║ Am
I know it all from Dioge - nis to the Foucault

| Am | E⁷ |
From Lozgechkin to Paspar - tu

| E⁷ | E⁷ |
I ja kljanus obostzav dva   paltza   Schtoti,

| E⁷ | Am   ║
Schto muzika poshla ot Zvukov Mu!

Chorus 4   *As Chorus 2*

Middle

║ Am   F/A Am | Am   F/A Am |
Start wearing pur - ple, wearing purple,

| Am   F/A | E⁷ | ║
Start wearing pur - ple for me now.

Freetime

| E⁷ | E⁷ |
So why don't you start wearing purple?

| E⁷ | E⁷ |
Why don't you start wearing purple?

Guitar tacet

| N.C.   ║
Start wearing purple for me now!

A Tempo

| Am | Am | Am | E⁷ |
Party!

| E⁷ | E⁷ |
All your sanity and wits, they will all vanish, I promise,

| E⁷ | Am |
It's just a matter of time!

Verse 3

║ Am
So Fio-Fio-Fio - letta! Etta!

| Am | E⁷ |
Va-va-va-vaja dama ti mo - ja!

| E⁷ | E⁷ |
Eh podayte nam kar - etu, votetu,

| E⁷ | Am   ║
I mi poedem k eben - jam! So yeah, ah!

Outro   *As Chorus 2*

TALK

**Words and Music by Guy Berryman, William Champion, Christopher Martin,
Jonathan Buckland, Karl Bartos, Ralf Huetter and Emil Schult**

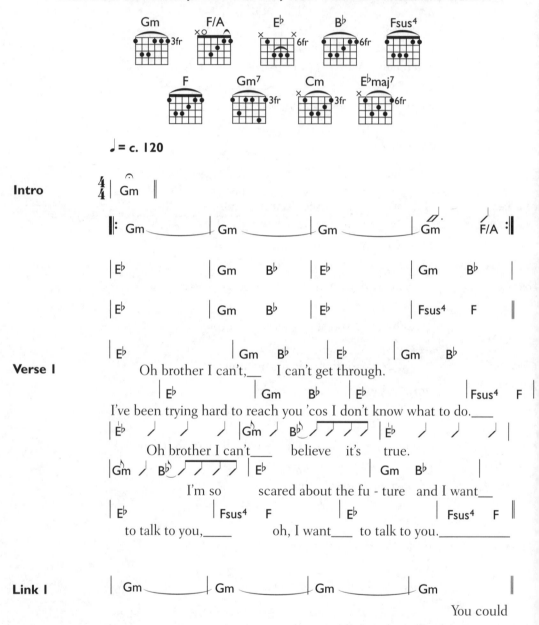

♩ = c. 120

Intro 4/4 | Gm ||

‖: Gm ⏐ Gm ⏐ Gm ⏐ Gm ⏐ F/A :‖

| E♭ ⏐ Gm B♭ ⏐ E♭ ⏐ Gm B♭ |

| E♭ ⏐ Gm B♭ ⏐ E♭ ⏐ Fsus⁴ F ‖

| E♭ ⏐ Gm B♭ ⏐ E♭ ⏐ Gm B♭ |

Verse 1   Oh brother I can't,___ I can't get through.

| E♭ ⏐ Gm B♭ ⏐ E♭ ⏐ Fsus⁴ F

I've been trying hard to reach you 'cos I don't know what to do.___

| E♭ ⏐ Gm B♭ ⏐ E♭ |

Oh brother I can't___ believe it's true.

| Gm B♭ ⏐ E♭ ⏐ Gm B♭ |

I'm so scared about the fu - ture and I want___

| E♭ ⏐ Fsus⁴ F ⏐ E♭ ⏐ Fsus⁴ F ‖

to talk to you,___ oh, I want___ to talk to you._____

Link 1 | Gm ⏐ Gm ⏐ Gm ⏐ Gm ‖

You could

Chorus 1

| E♭ | Gm | B♭ | E♭ | Gm | B♭ |

take a picture of something you see.

| E♭ | Gm | B♭ | E♭ | Gm | B♭ |

In the future where will I be? You could

| E♭ | Gm | B♭ | E♭ | Gm | B♭ |

climb a ladder up to the sun, or

| E♭ | Gm | B♭ | E♭ |

write a song no - body had sung, or do__ something that's

| Fsus⁴ F | Gm⁷ Gm⁷ | Gm⁷ Gm⁷ ‖

never been done.

Verse 2

| E♭ ♪ ♪ ♪ | Gm ♪ B♭ ♪♪♪♪ | E♭ ♪ ♪ ♪ | Gm ♪ B♭ ♪♪♪♪ |

Are you lost___ or in - com - plete? Do you

| E♭ | Gm B♭ | E♭ | Fsus⁴ F |

feel like a puzzle, you can't find___ your missing piece?__ Tell me

| E♭ | Gm B♭ | E♭ | Gm B♭ |

how you feel._____ Well I

| E♭ | Gm B♭ | E♭ | Fsus⁴ F |

feel like they're talk - ing in a lan - guage I don't speak,___ and they're

| E♭ | Fsus⁴ F ‖

talking it to me. ___

Link 2

| Gm | Gm | Gm | Gm ‖

So you

Chorus 2

| E♭ | Gm B♭ | E♭ | Gm B♭ |

take a picture of something you see.

| E♭ | Gm B♭ | E♭ | Gm B♭ |

In the future where will I be? You could

| E♭ | Gm B♭ | E♭ | Gm B♭ |

climb a ladder up to the sun, or

| E♭ | Gm B♭ | E♭ |

write a song no - body had sung, or do__ something that's

| Fsus⁴ F | E♭ | Fsus⁴ F ‖

never been done, do____ something that's never been done.

Link 3 | Gm⁷ ____ | Gm⁷ ____ | Gm⁷ ____ | Gm⁷ ‖

Instrumental ‖: Cm ⁄⁄ | E♭ ⁄⁄ | Gm ⁄⁄ | F ⁄⁄ :‖

‖: Cm ///// ///// | E♭ ///// ///// |

| Gm ///// ///// | F ///// ///// :‖

| E♭ | Gm B♭ | E♭ | Gm B♭ |

| E♭ | Gm B♭ | E♭ | F ‖

So you

Outro

|E♭ | Gm⁷ B♭ |

don't know where you're going and you want to talk.

| E♭ | Gm⁷ B♭ | E♭ | Gm⁷ B♭ |

You feel like you're going where you've been before

| E♭ | Gm⁷ B♭ | E♭ | Gm⁷ B♭ |

You'll tell anyone who'll listen, but you feel ig - nored

| E♭ | Gm⁷ B♭ | E♭ | Gm⁷ B♭ |

And nothing's really making any sense at all, let's

|E♭ | F | E♭maj⁷ | F | Gm

talk, let's talk,   let's talk,   let's talk._____

TENDENCY

**Words and Music by Jason Bavandan, Oliver Davies,
James Ellis and Tim Scudder**

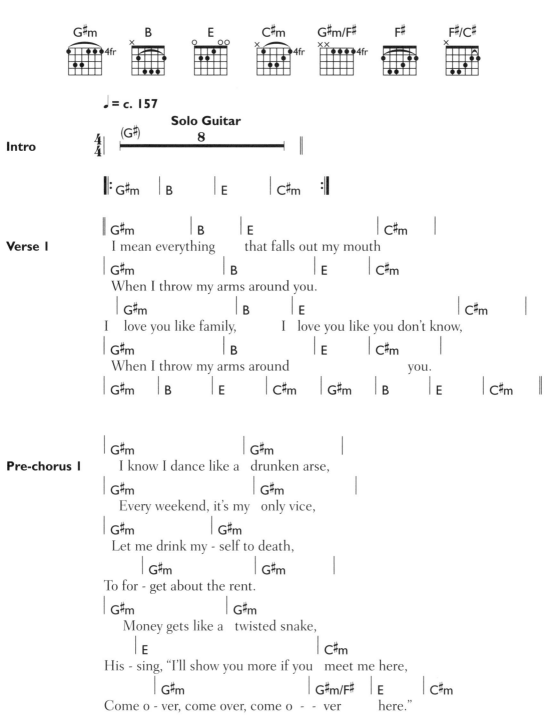

♩ = c. 157

Intro

Solo Guitar

4/4 | (G#)   8 ||

||: G#m | B | E | C#m   :||

Verse 1

|| G#m | B | E | C#m |
I mean everything   that falls out my mouth

| G#m | B | E | C#m |
When I throw my arms around you.

| G#m | B | E | C#m |
I   love you like family,   I love you like you don't know,

| G#m | B | E | C#m |
When I throw my arms around   you.

| G#m | B | E | C#m | G#m | B | E | C#m ||

Pre-chorus 1

| G#m | G#m |
I know I dance like a   drunken arse,

| G#m | G#m |
Every weekend, it's my   only vice,

| G#m | G#m |
Let me drink my - self to death,

| G#m | G#m |
To for - get about the rent.

| G#m | G#m |
Money gets like a   twisted snake,

| E | C#m |
His - sing, "I'll show you more if you   meet me here,

| G#m | G#m/F# | E | C#m |
Come o - ver, come over, come o - - - ver   here."

70

Chorus 1

‖ C#m | C#m | G#m | G#m

And if I said, "This is my only   tendency.

| C#m | C#m | G#m | G#m

  This is all I have   left you see."

        | C#m | C#m | C#m | C#m

Would you be - lieve me?   Would you be - lieve me...

Break

| G#m | F# | E | E | G#m | F# | E | E

  now?

Verse 2

‖ G#m | B | E | F#/C#

You think that it's not enough?   Well Feller, I'm all grown up.

| G#m | B | E | F#/C#

It's clear that we don't breath the same air.

    | G#m | B | E | F#/C#

See I'm moving on and up,   but I'm still the boy you knew;

    | G#m | G#m/F# | E | F#/C#

I'm the boy who threw his arms around you.

Chorus 2

As Chorus 1

Guitar solo

‖E | E | E | E | E | E | E | E

  now?_____

| E | E | E | E | E | E | E | E

Pre-chorus 2

| N.C. | N.C. |

  A healthy man with a healthy plan.

| N.C. | N.C.

  My kids will think I'm a healthy Dad.

        | G#m | B

When there's nothing I don't care to mention,

    | G#m | B |

And nothing I don't care for.

| G#m | B

  Meet my girl, she is my world,

     | E | C#m

Because she is the best bitch I've ever had

    | G#m | G#m/F# | E | C#m

Come o - ver, come over, come o - ver   me.

Chorus 3

| C#m | C#m | G#m | G#m |

And if I said, "This is my on - ly   tendency."

| E | E | E | C#m |

Would you be - lieve me?   Would you be - lieve me?

Verse 3

| G#m | B | E | C#m |

'Cos I mean everything   that falls out my mouth.

| G#m | B | E | C#m |

I love you like family, oh yes I love you like you don't know,

| G#m | B | E | C#m |

But I'm moving on and up, and I'm still the boy you knew.

| G#m | G#m/F# | E | C#m |

I'm the boy who threw his arms around you.

| G#m | G#m/F# | E | C#m |

The boy who threw his arms around you.

| G#m | G#m/F# | E | C#m | G#m ||

The boy who threw his arms around you.

THIS IS IT

Words and Music by Muriel Rhyner, Isabella Eder and Sonja Zimmerli

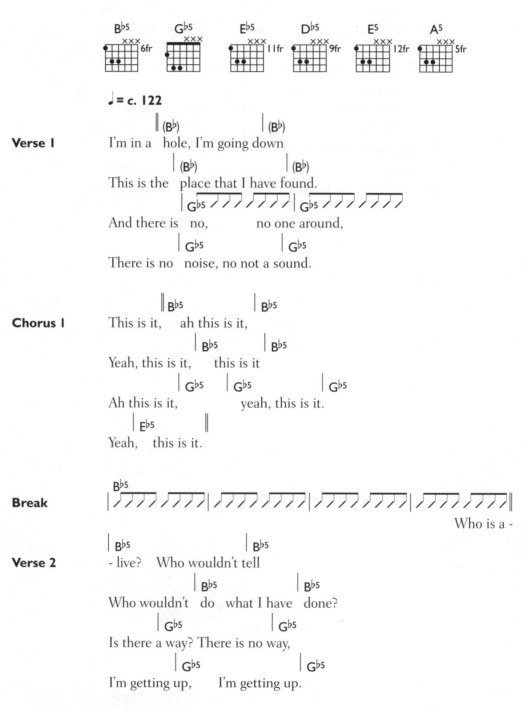

♩ = c. 122

Verse 1

‖ (B♭) | (B♭)
I'm in a hole, I'm going down

| (B♭) | (B♭)
This is the place that I have found.

| G♭5 / / / / / / | G♭5 / / / / / /
And there is no, no one around,

| G♭5 | G♭5
There is no noise, no not a sound.

Chorus 1

‖ B♭5 | B♭5
This is it, ah this is it,

| B♭5 | B♭5
Yeah, this is it, this is it

| G♭5 | G♭5 | G♭5
Ah this is it, yeah, this is it.

| E♭5 ‖
Yeah, this is it.

Break

B♭5
| / / / / / / / / | / / / / / / / / | / / / / / / / / | / / / / / / / / ‖

Who is a -

Verse 2

| B♭5 | B♭5
- live? Who wouldn't tell

| B♭5 | B♭5
Who wouldn't do what I have done?

| G♭5 | G♭5
Is there a way? There is no way,

| G♭5 | G♭5
I'm getting up, I'm getting up.

Chorus 2   *As Chorus I*

Middle   ‖ N.C. | N.C. | N.C. | N.C. |
               Drums   There is no

               | N.C. | N.C. | N.C. |
               noise,   there is no sound.

               | N.C. | N.C. | N.C.   B♭5 ‖
                   There is no   noise.

Outro | D♭5 | D♭5 | E5
                   Yeah, yeah this is   it (I'm going   down)

                              | E5 | D♭5
               There is no   way (I'm going   down)

                         | D♭5 | E5
               I'm doing   time I'm going   down)

                              | E5   ‖
               And I'm feeling   fine, I'm feeling...

TWELVE

Words and Music by Samuel Nicholls, Kathryn Nicholls, Thomas Woodhead and Robert Canning

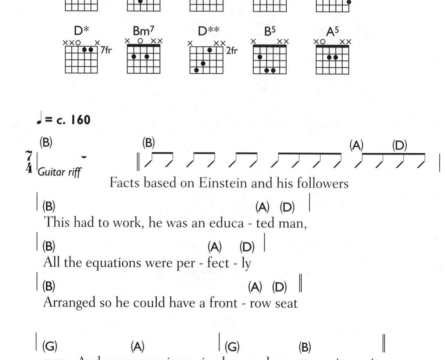

Verse 1

♩= c. 160

(B)   (B)   (A) (D)

7/4 *Guitar riff*

Facts based on Einstein and his followers

(B)   (A) (D)

This had to work, he was an educa - ted man,

(B)   (A) (D)

All the equations were per - fect - ly

(B)   (A) (D)

Arranged so he could have a front - row seat

Chorus 1

(G)   (A)   (G)   (B)

now. And your conscience is low, and your conscience is

Verse 2

(B)   (A)(D)

Burning a path for us to share

(B)   (A) (D)

Clothes draped on silos near the Empe - ror's gate

Chorus 1

(G)   (A)   (G) (B)   (E)

now. And your conscience is low, conscience is

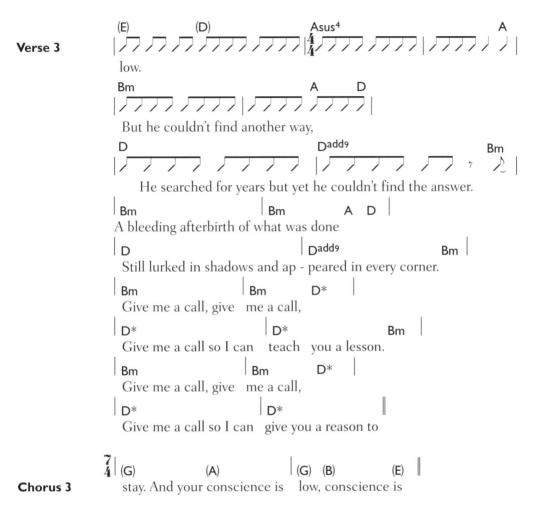

Verse 3

(E)   (D)   Asus⁴   A

low.

Bm   A   D

But he couldn't find another way,

D   D^add9   Bm

He searched for years but yet he couldn't find the answer.

| Bm | Bm | A D |

A bleeding afterbirth of what was done

| D | D^add9 | Bm |

Still lurked in shadows and ap - peared in every corner.

| Bm | Bm | D* |

Give me a call, give me a call,

| D* | D* | Bm |

Give me a call so I can teach you a lesson.

| Bm | Bm | D* |

Give me a call, give me a call,

| D* | D* |

Give me a call so I can give you a reason to

Chorus 3

7/4 | (G)   (A) | (G) (B)   (E) |

stay. And your conscience is low, conscience is

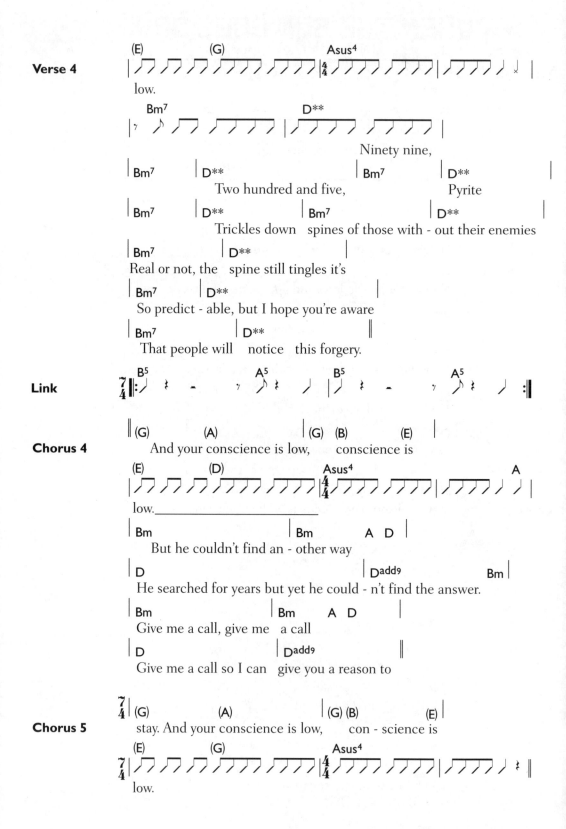

Verse 4

(E)   (G)   Asus⁴

low.

Bm⁷   D**

Ninety nine,

| Bm⁷ | D** | | Bm⁷ | D** |
Two hundred and five,   Pyrite

| Bm⁷ | D** | Bm⁷ | D** |
Trickles down   spines of those with - out their enemies

| Bm⁷ | D** |
Real or not, the   spine still tingles it's

| Bm⁷ | D** |
So predict - able, but I hope you're aware

| Bm⁷ | D** |
That people will   notice   this forgery.

Link

B⁵   A⁵   B⁵   A⁵

Chorus 4

(G)   (A)   (G) (B)   (E)
And your conscience is low,   conscience is

(E)   (D)   Asus⁴   A

low._____

| Bm | Bm   A D |
But he couldn't find an - other way

| D | Dadd9   Bm |
He searched for years but yet he could - n't find the answer.

| Bm | Bm   A D |
Give me a call, give me   a call

| D | Dadd9 |
Give me a call so I can   give you a reason to

Chorus 5

(G)   (A) | (G) (B)   (E) |
stay. And your conscience is low,   con - science is

(E)   (G)   Asus⁴

low.

WHEN THE SUN GOES DOWN

Words and Music by Alex Turner

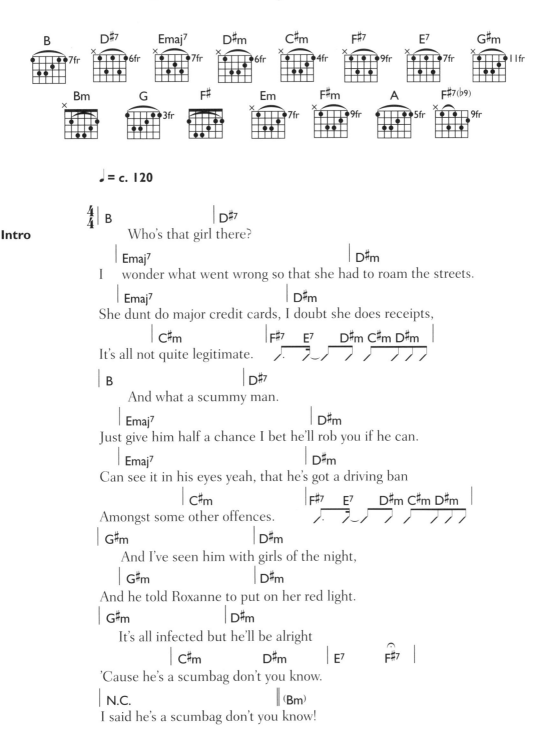

♩ = c. 120

Intro

|4/4| B |D#7
      Who's that girl there?

   | Emaj7 |D#m
I   wonder what went wrong so that she had to roam the streets.

   | Emaj7 |D#m
She dunt do major credit cards, I doubt she does receipts,

      | C#m |F#7 E7   D#m C#m D#m |
It's all not quite legitimate.

| B |D#7
     And what a scummy man.

   | Emaj7 |D#m
Just give him half a chance I bet he'll rob you if he can.

   | Emaj7 |D#m
Can see it in his eyes yeah, that he's got a driving ban

      | C#m |F#7 E7   D#m C#m D#m |
Amongst some other offences.

| G#m |D#m
    And I've seen him with girls of the night,

 | G#m |D#m
And he told Roxanne to put on her red light.

| G#m |D#m
   It's all infected but he'll be alright

    | C#m   D#m | E7   F#7 |
'Cause he's a scumbag don't you know.

| N.C.   ‖(Bm)
I said he's a scumbag don't you know!

Guitar Link I

Bm N.C.   G F# Bm N.C.   G F#

Bm N.C.   G F# Bm   Bm   G F#

Bm N.C.   G   F#   Bm

(guitar riff)   *play x4*

Verse 1

| G | F# | Bm | |

                    Although you're trying not

| G | F# | Bm | |

to listen.   Overt your eyes and staring

| G | F# | Bm | |

at the ground.   She makes a subtle pro -

| G | F# | Bm | |

- posi - tion,   "I'm sorry love, I'll have to

| G F# | Bm | |

turn you down." Oh he must be up to____

| G | F# | Bm | |

    Some - thing.   What are the chances, sure it's

| G | F# | Bm | |

more than likely.   I've got a feeling in my__

| G | F# | Bm | |

   sto - mach.   I start to wonder what his

| G | F# | Bm | ||

story might be, what his story might be. Yeah 'cause

Chorus 1

| Em | F#m | Bm |

They said it changes when the sun goes down.

| Em | F#m | Bm |

Yeah they said it changes when the sun goes down.

| Em | F#m | Bm | |

Well they said it changes when the sun goes down around

| Em | F#m | Bm | A | F# | ||

   here._____   Around_____   here. Ah.

Link 2

G   F#   Bm   *play x4*

Verse 2

‖ G   F♯ | Bm |
Look, here comes a Ford

| G   F♯ | Bm |
Mon - de - o.   Isn't he Mister In -

| G   F♯ | Bm |
- con - spicuous?   And he don't even have

| G   F♯ | Bm |
to say 'owt.   She's in the stance ready to

| G F♯ | Bm |
get picked up.   Bet she's delighted when she

| G   F♯ | Bm |
sees   him.   Pulling in and giving

| G   F♯ | Bm |
her the eye.   Because she must be fucking

| G   F♯ | Bm |
freez-ing,   scantily clad beneath the

| G   F♯ | Bm   ‖
clear night sky. It doesn't stop in the winter, no. And

Chorus 2

| Em   F♯m | Bm
They said it changes when the sun goes down.

| Em   F♯m | Bm
Yeah they said it changes when the sun goes down.

| Em   F♯m | Bm |
Well they said it changes when the sun goes down around

| Em   F♯m | Bm |
here._____   Well

| Em   F♯m | Bm
they said it changes when the sun goes down

| Em   F♯m | Bm
Over the river going out of town.

| Em   F♯m | Bm |
They said it changes when the sun goes down around

| Em   F♯m | Bm | A | F♯   ‖
here._____   Around   here. Oh.

Outro

| B | D♯7
And what a scummy man.

| Emaj7 | D♯m
Just give him half a chance, I bet he'll rob you if he can,

| Emaj7 | D♯m
Can see it in his eyes yeah, that he's got a nasty plan.

| C♯m   D♯m | E7   F♯7 | F♯7♭9   F♯7 | B ‖
I hope you're not involved at all.

WHAT I SAY AND WHAT I MEAN

Words and Music by Elizabeth Berg

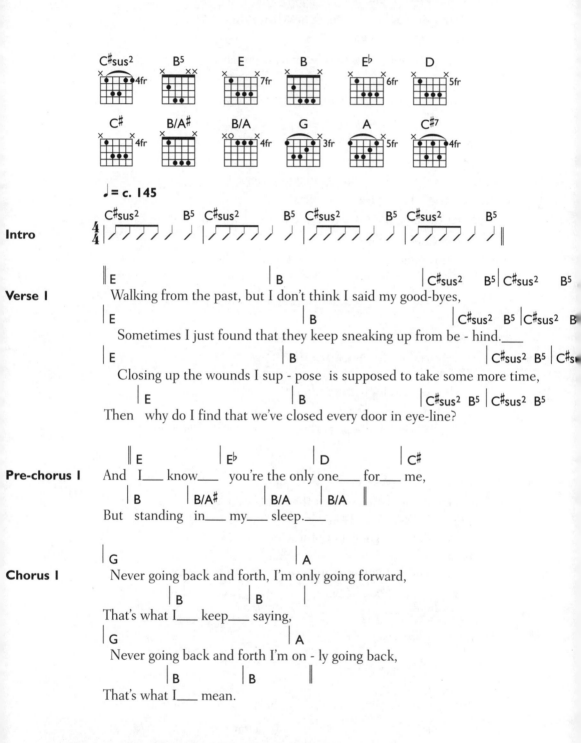

Intro

E   B   C#sus2 B5 C#sus2 B5

Verse I

|E |B |C#sus2 B5|C#sus2   B5
Walking from the past, but I don't think I said my good-byes,

|E |B |C#sus2 B5|C#sus2   B
Sometimes I just found that they keep sneaking up from be - hind.___

|E |B |C#sus2 B5|C#s
Closing up the wounds I sup - pose is supposed to take some more time,

|E |B |C#sus2 B5|C#sus2   B5
Then   why do I find that we've closed every door in eye-line?

Pre-chorus I

|E |E♭ |D |C#
And   I___ know___ you're the only one___ for___ me,

|B |B/A# |B/A |B/A |
But   standing in___ my___ sleep.___

Chorus I

|G |A
Never going back and forth, I'm only going forward,

|B |B |
That's what I___ keep___ saying,

|G |A
Never going back and forth I'm on - ly going back,

|B |B |
That's what I___ mean.

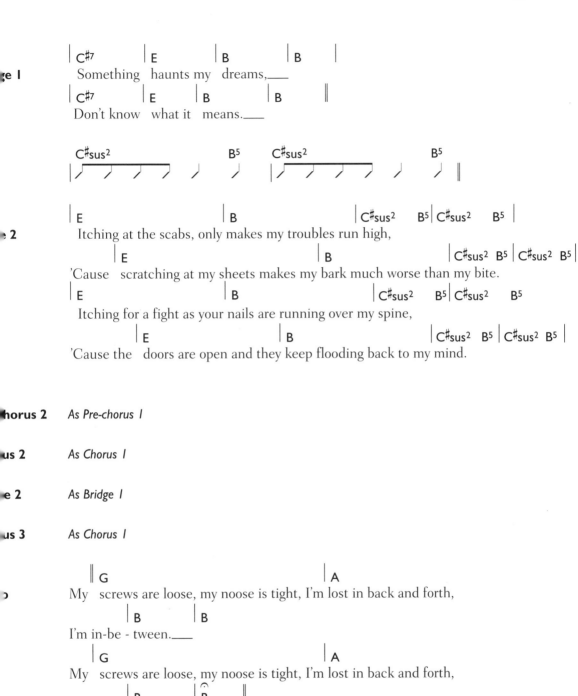

| C#7 | E | B | B | |

Something haunts my dreams,___

| C#7 | E | B | B | ‖

Don't know what it means.___

C#sus2   B5   C#sus2   B5

| E | B | C#sus2 B5 | C#sus2 B5 |

Itching at the scabs, only makes my troubles run high,

| E | B | C#sus2 B5 | C#sus2 B5 |

'Cause scratching at my sheets makes my bark much worse than my bite.

| E | B | C#sus2 B5 | C#sus2 B5 |

Itching for a fight as your nails are running over my spine,

| E | B | C#sus2 B5 | C#sus2 B5 |

'Cause the doors are open and they keep flooding back to my mind.

Chorus 2   *As Pre-chorus 1*

us 2   *As Chorus 1*

e 2   *As Bridge 1*

us 3   *As Chorus 1*

‖ G | A

My screws are loose, my noose is tight, I'm lost in back and forth,

| B | B

I'm in-be - tween.___

| G | A

My screws are loose, my noose is tight, I'm lost in back and forth,

| B | B | ‖

I'm in-be - tween.___

WHITE RUSSIAN GALAXY

Words and Music by Davey MacManus and Owen Hopkin

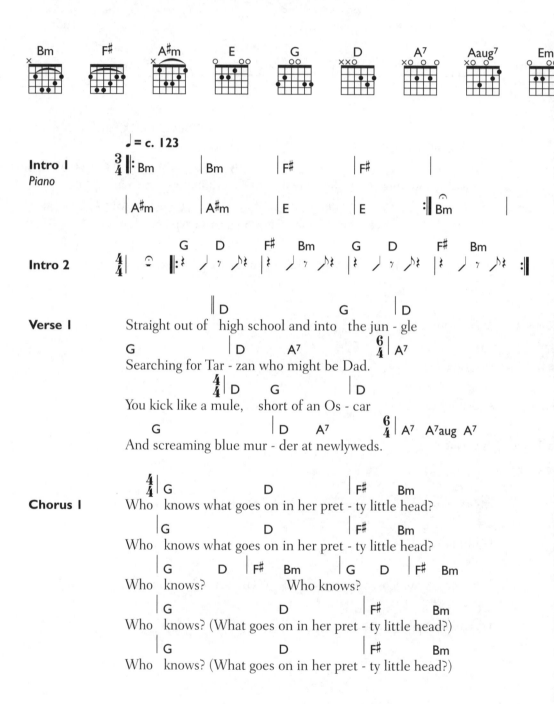

Intro 1
Piano

$\frac{3}{4}$: Bm | Bm | F# | F# |

| A#m | A#m | E | E : Bm |

Intro 2

$\frac{4}{4}$ | : G D F# Bm | G D F# Bm | G D F# Bm | G D F# Bm : |

Verse 1

‖ D   G | D
Straight out of high school and into   the jun - gle

G | D   A7 $\frac{6}{4}$ | A7
Searching for Tar - zan who might be Dad.

$\frac{4}{4}$ | D   G | D
You kick like a mule,   short of an Os - car

G | D   A7 $\frac{6}{4}$ | A7   A7aug A7
And screaming blue mur - der at newlyweds.

Chorus 1

$\frac{4}{4}$ | G   D | F#   Bm
Who   knows what goes on in her pret - ty little head?

| G   D | F#   Bm
Who   knows what goes on in her pret - ty little head?

| G   D | F#   Bm | G   D | F#   Bm
Who   knows?   Who knows?

| G   D | F#
Who   knows? (What goes on in her pret - ty little head?)

| G   D | F#   Bm
Who   knows? (What goes on in her pret - ty little head?)

Warner/Chappell Music Publishing Ltd, London W6 8BS

Verse 2

‖ D   G | D
You talk like a fish   in non - sensical bub - bles

G | D   A⁷ $\frac{6}{4}$ | A⁷
Then blow the word "bitch" through your smoke ring.

$\frac{4}{4}$ | D   G | D
You cause only trouble, you bring only suf - fering

G | D   A⁷ $\frac{6}{4}$ | A⁷ A⁷aug A⁷
Just get in the spaceship and stop bleeding.

Chorus 2   *As Chorus 1*

Middle

‖ G | D |
Won't you tell me why you never sing in church on Sundays

| Em | D | A⁷ | A⁷
Why won't you ever   go all the way?

| G | D |
You're floating towards heavenly hell

| Em | D | A⁷ | A⁷
Hanging from the rafters   like a church bell.

| G | D |
You're light years away from reali - ty

| Em | D | A⁷ | A⁷
Lonely, and lost in a white Russian galaxy,   ah, ah.

Outro

‖: G   D | F♯   Bm :‖
Who knows?   (Who

‖: G   D | F♯   Bm :‖ x4
knows) what goes on in her pretty little head? Who

‖: G   D | F♯ Bm   :‖ x3
Who knows what goes on?   (Who knows)

| G   D | F♯   Bm |
what goes on in her pretty little head?

‖: G   D | F♯   Bm :‖ D ‖
Who knows what goes on? Who know what goes on?

WHY WON'T YOU GIVE ME YOUR LOVE?

Words and Music by Dave McCabe, Sean Payne,
Abigail Harding, Boyan Chowdhury and Russell Pritchard

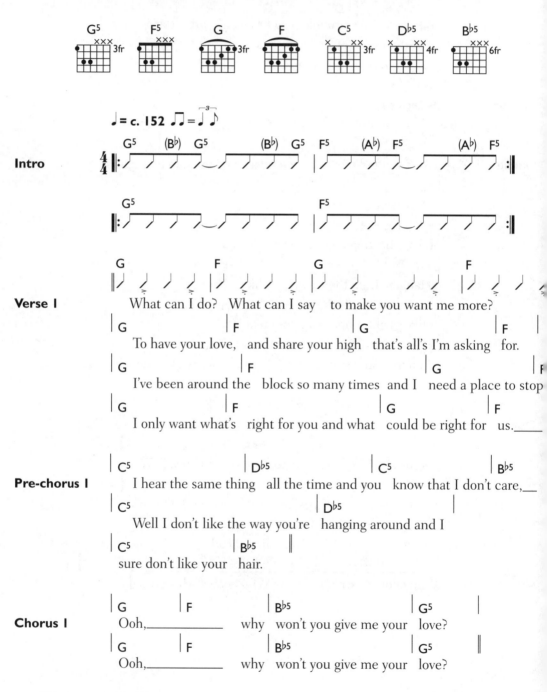

Break

G⁵

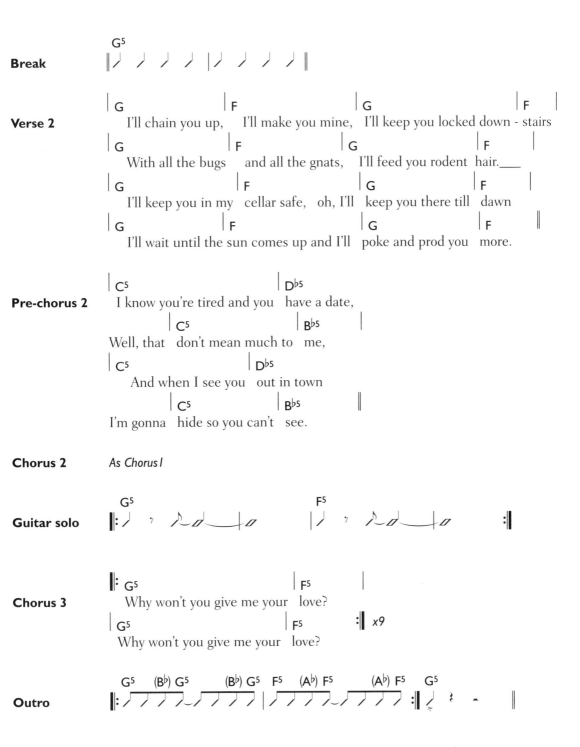

Verse 2

| G | | F | | G | | F | |

I'll chain you up,   I'll make you mine,   I'll keep you locked down - stairs

| G | | F | | G | | F | |

With all the bugs   and all the gnats,   I'll feed you rodent hair.___

| G | | F | | G | | F | |

I'll keep you in my   cellar safe,   oh, I'll   keep you there till   dawn

| G | | F | | G | | F | |

I'll wait until the sun comes up and I'll   poke and prod you   more.

Pre-chorus 2

| C⁵ | | D♭⁵ |

I know you're tired and you   have a date,

| C⁵ | | B♭⁵ | |

Well, that   don't mean much to   me,

| C⁵ | | D♭⁵ |

And when I see you   out in town

| C⁵ | | B♭⁵ | |

I'm gonna   hide so you can't   see.

Chorus 2   *As Chorus I*

Guitar solo

G⁵   F⁵

Chorus 3

‖: G⁵ | F⁵ | |

Why won't you give me your   love?

| G⁵ | F⁵ :‖ x9

Why won't you give me your   love?

Outro

G⁵   (B♭) G⁵   (B♭) G⁵   F⁵   (A♭) F⁵   (A♭) F⁵   G⁵

YOU'RE ALL I HAVE

Words and Music by Gary Lightbody, Nathan Connolly, Jonathan Quinn, Paul Wilson and Tom Simpson

B6   E6/G#   B6/F#   E6   E5   Asus2   Bsus2   C#5

♩ = c. 130

Intro
(arpeggios)

| B6 | | E6/G# | | B6/F# | | E6 | |

| E5 | Asus2 | E5 | Asus2 |

Verse 1

| E5 | Asus2 | E5 | Asus2 |

Train this   chaos turn it into   light,

| E5 | Asus2 | E5 | Asus2 |

I've got to see   you one last   night

| E5 | Asus2 | E5 | Asus2 |

Before the li - ons take their   share

| E5 | Asus2 | E5 | Asus2 |

Leave us in   pie - ces, scattered everywhere.

Pre-chorus 1

| Bsus2 | Bsus2 | |

Just   give me a chance to hold on,

| Asus2 | Asus2 | |

Give me a chance to hold on,

| Bsus2 | Bsus2 | |

Give me a chance to hold on,

| Asus2 | Asus2 |

Just   give me something to hold on   to.

Chorus 1

‖: E5 | E5 | Asus2 | Asus2 |

It's   so clear now that   you are all that I   have,

| E5 | E5 | Asus2 | Asus2 :‖

I have no fear 'cos   you are all that I   have.

Link 1

‖: E5 | Asus2 :‖

Verse 2

| E5 | Asus2 | E5 | Asus2 |

You're cine - matic, razor sharp,

| E5 | Asus2 | E5 | Asus2 |

A welcome ar - row through the heart.

| E5 | Asus2 | E5 | Asus2 |

Under   your skin feels like home,

| E5 | Asus2 | E5 | Asus2 |

Electric   shocks on aching   bones.

Pre-chorus 2

| Bsus2 | Bsus2 |

Give me a chance to hold on,

| Asus2 | Asus2 |

Give me a chance to hold on,

| Bsus2 | Bsus2 |

Give me a chance to hold on,

| Asus2 | Asus2 |

Just   give me something to hold on   to.__

Chorus 2   *As Chorus 1*

Verse 3

| E5 | Asus2 | E5 | Asus2 |

There is a   dark - ness deep in you,

| E5 | Asus2 | E5 | Asus2 |

A frightening   ma - gic I cling to.

Pre-chorus 3

| Bsus2 | Bsus2 |

Give me a chance to hold on,

| Asus2 | Asus2 |

Give me a chance to hold on,

| Bsus2 | Bsus2 |

Give me a chance to hold on,

| C#5 | C#5 |

Just   give me something to hold on   to.

Chorus 3   *As Chorus 1*

Outro

E5   Asus2   E5   Asus2

‖: ♪♪♪ ♪♪♪♪ | ♪♪♪♪ ♪♪♪♪ | ♪♪♪♪ ♪♪♪♪ | ♪♪♪♪ ♪♪♪♪ :‖

(arpeggios)

B6   E6/G#   B6/F#   E6

| ♪♪♪ ♪♪♪ | ♪♪♪ ♪♪♪ | ♪♪♪ ♪♪♪ | ♪♪♪ ♪♪♪ 𝅝 ‖

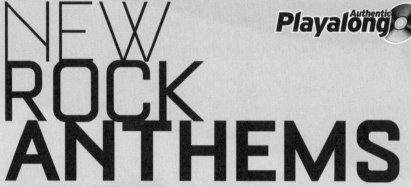
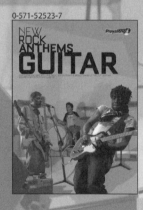
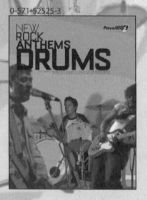
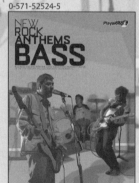